D1397628

DEMAIN,
QUE SIGNIFIE DEMAIN ?

Derniers romans parus dans la collection Intimité :

SOMBRE MASCARADE
    par Rachelle EDWARDS

UN REVE PERMANENT
    par W. E. D. ROSS

EN SOUVENIR D'ELIZA
    par Charlotte MASSEY

L'ŒIL DU DRAGON
    par Jennie MELVILLE

SARAH
    par Bryan FORBES

UN MARIAGE COMPROMETTANT
    par Freda M. LONG

LE FACTEUR OMEGA
    par Patricia JOHNSTONE

SOPHIA B.
    par Laura ROSE

SOLSTICE
    par Cillay RISKU

LE BRISEUR DE CAGES
    par Christine HERRING

LA VALLEE DES CORBEAUX
    par Nancy BUCKINGHAM

CLAIRS-OBSCURS
    par Kay STEPHENS

UNE FEMME VENUE DE LA MER
    par Philippa CARR

A paraître prochainement :

LES TROIS BELLES ET LA BETE
    par Loïs PAXTON

Anna GILBERT

DEMAIN, QUE SIGNIFIE DEMAIN ?

(A Family Likeness)

Roman traduit de l'anglais
par Huguette Douessin

PUBLICATIONS EDITIONS MONDIALES
2, rue des Italiens — PARIS-9e

ISBN N° 2-7074-2417-X

CHAPITRE PREMIER

Je ne m'étais jamais considérée comme prisonnière jusqu'à cette matinée de juin. Ce jour-là, grand-mère se tenait dans sa chambre. Je traversai la grande salle et le vestibule sur la pointe des pieds. Pour une fois, la porte d'entrée était largement ouverte. Au-delà des ombres de la maison, les champs s'embrasaient de l'éclat des boutons d'or. Il était facile de s'y perdre et de se fondre dans le sentier sans être remarquée des fenêtres du manoir. Ce fut ainsi que je m'évadai, vêtue d'une légère robe de mousseline, chaussée de pantoufles de soie et coiffée d'une capeline de paille rustique. C'était merveilleux d'être enfin seule, et cette fuite avait l'attrait de la nouveauté, d'autant qu'elle n'avait pas été aisée et m'apportait un parfum d'aventure. Cette sensation inconnue m'emplit d'enthousiasme et m'incita à poursuivre mon chemin. Parvenue à la route, alors que j'avais eu l'intention de retourner sur mes pas, l'apparition de Mme Masson modifia mes plans. Elle sortait du pavillon d'hôte voisin du manoir et traversait le parc avec l'intention évidente de rendre visite à grand-mère. Rien dans son allure générale ne pouvait justifier mon recul instinctif : sa silhouette mince et élégante, sa robe vaporeuse d'une somptueuse teinte mordorée, la grâce délicate avec laquelle elle maniait son ombrelle volantée exprimaient la sérénité. Je ne comprenais pas les raisons qui me poussaient à l'éviter ; pourtant, je ne souhaitais qu'une chose : m'épargner une rencontre indésirable.

Au lieu de rentrer sagement au manoir, je courus le long d'une sente étroite que bordait un mur de pierres sèches. Au bout se trouvait une brèche donnant sur une vallée cachée, avec pour horizon le contour adouci des collines. A mes pieds, s'étendait une pente herbeuse qui descendait mollement vers le sud. Quelques chaumières, une ferme abandonnée et un ruisseau qui s'étirait paresseusement parmi les saules... L'atmosphère était suffocante, orageuse.

Une émotion bizarre m'étreignit quand j'aperçus le puits, recouvert de fleurs de sureau. Je ne l'avais jamais vu auparavant. Seule Emma, notre domestique, me l'avait décrit durant ma tendre enfance, à un âge où ce genre de construction évoque les gouffres mystérieux vers lesquels on se penche pour exprimer un vœu secret. Je me souvenais encore des paroles d'Emma : « C'est une légende vieille comme le monde... On dit que l'eau possède un pouvoir surnaturel, et même qu'elle peut guérir certaines maladies ! »

Elle avait toujours été trop occupée pour

m'emmener contempler l'objet de ma curiosité. Quant à ma gouvernante française, elle éprouvait une aversion particulière pour les promenades champêtres sur des chemins boueux. Quand j'osais exprimer un vœu, elle disait d'un ton de blâme : « Que pouvez-vous désirer de plus ? Vous possédez tout ce qu'une jeune fille peut souhaiter ! »

Au fil des ans, j'avais fini par oublier le puits et sa légende mystérieuse. Les pierres usées de la margelle avaient été remplacées çà et là par des briques. Je me penchai vers le trou béant qui ne reflétait que les ténèbres. Des exhalaisons aussi anciennes et primitives que la terre elle-même remplissaient mon âme d'une tristesse venue d'un autre âge. Faire un vœu était une marque d'impiété, grand-mère s'était montrée absolument intransigeante sur ce chapitre ; selon ses préceptes, ces démonstrations indignes exprimaient une absence de résignation à la volonté divine. Pourtant en dépit des idées reçues, j'adressai une prière muette au puits : « Délivrez-moi de tout ce qui m'oppresse... de Barmote, de la famille ! Libérez-moi de mon joug... Aidez-moi ! »

Le ciel s'était obscurci. L'air était calme et paisible. J'osai lancer une pierre dans le puits. Sa chute me parut interminable. Je perçus enfin un faible tintement qui me prouva que j'avais été entendue. Mon regard abandonna les profondeurs secrètes de l'abîme et s'éleva vers le ciel brutalement zébré d'une flèche fulgurante. Un roulement de tonnerre vibra dans la vallée, dont le fracas se répercuta le long du ruisseau.

A ce signal, les nuages éclatèrent, et la pluie déferla. Je demeurai prostrée sous le déluge, fixant le point de chute de l'éclair, terrifiée par la précision de son impact. En quelques minutes, l'averse réduisit ma robe à l'état de chiffon détrempé. Je courus vers la chaumière la plus proche, perdant une pantoufle dans l'herbe glissante.

En dépit de la tempête, la porte était largement ouverte. Une femme cousait près de l'âtre, penchée vers le feu qui éclairait son ouvrage. Elle sursauta, effrayée par mon intrusion, puis poussa un soupir de soulagement :

— Mademoiselle Tessa ! Vous m'avez fait peur !

— Vous me connaissez ?

— Je viens de vous apercevoir, près du vieux puits... Vous aviez l'air d'un fantôme dans votre robe blanche !

Ma question avait paru la surprendre. Qui d'autre que moi, en effet pouvait errer à travers la campagne dans une tenue aussi ridicule ? J'éprouvais un doute quant à l'opportunité des robes de mousseline imposées par grand-mère qui estimait que c'était la seule tenue convenable pour une jeune fille de ma condition.

— Puis-je entrer un moment ?

— Vous êtes la bienvenue. Ne restez pas là à prendre froid.

Elle avança une chaise près du foyer.

— Dois-je fermer ?

— C'est difficile : la porte est en mauvais état et elle frotte à cet endroit.

J'entrevis la terre battue, toute bosselée, sur laquelle je trébuchai maladroitement en m'avançant vers l'âtre.

— Reuben a l'intention de la réparer avant l'arrivée du mauvais temps.

Elle surprit le regard que je jetais aux fenêtres ruisselantes de pluie.

— Cet orage a été si soudain...

Elle se mit à tisonner le feu et ajouta pensivement :

— Je vous rencontre chaque dimanche à l'église, mais je n'avais jamais eu l'occasion de vous voir de près. Il n'est pas surprenant que les gens vous aient surnommée : « le Lys de Barmote ».

— Je vous en prie, ne faites pas allusion à ce surnom, je le déteste ! Il me donne l'impression d'être irréelle...

Pour me donner une contenance, je retirai ma pantoufle d'intérieur dont le satin rose était réduit à l'état d'éponge et je tapotai négligemment les taches de boue qui maculaient mes bas blancs. La femme me considéra avec anxiété :

— A dire vrai, j'ai seulement entendu parler de vous par Reuben, mon fils...

— Reuben ? Vous voulez dire : notre Reuben ?

— Si... votre palefrenier.

Elle hésita, partagée entre une discrétion de bon aloi et la fierté que lui inspirait le jeune homme.

— Il est bien naturel qu'il parle de vous : vous êtes le seul être jeune du manoir, en dehors de lui...

Elle retira du feu le tisonnier rougeoyant et le plongea dans une cruche qui contenait de l'ale[1], puis me tendit un gobelet d'étain empli du breuvage :

— Buvez, cela vous fera du bien...

— Je n'y ai jamais goûté.

La boisson brûlante me réconforta. J'observai nonchalamment la femme qui avait repris son ouvrage. Elle avait un abord qui suscitait la sympathie et un comportement serein qui imposait le respect. Elle cousait des gants avec une dextérité déconcertante ; une pile imposante de pièces pré-découpées attendait sur la table. Je lui fis part de mon admiration devant son habileté.

— J'arrive à en faire une douzaine au moins chaque semaine, précisa-t-elle. Cette occupation me permet d'acheter des provisions de farine, de savon et de bougies. D'ailleurs, à présent que Reuben a obtenu cet emploi au manoir, nous sommes à l'abri du besoin ; il gagne dix livres par an, comme vous le savez.

Je demeurai silencieuse, ayant toujours ignoré le montant des gages de Reuben. Elle ajouta avec satisfaction :

— Et ainsi il a la possibilité de me rendre régulièrement visite !

---

1 Bière légère, fabriquée avec du malt peu torréfié.

Elle désigna une rangée de livres posés sur une tablette :

— Il en profite pour lire. Il adore s'instruire. Comme son père...

Il était visible que cette famille avait connu des jours meilleurs. Les meubles étaient en bon état, le buffet garni de vaisselle décorée de fleurs. L'étrangeté de ma situation, la chaleur ambiante et l'ale trop forte que j'avais absorbée me firent demander :

— Mais alors, vous êtes heureux ?

Je regrettai aussitôt ma question. Je me sentais terriblement maladroite, d'autant que j'ignorais jusqu'au patronyme de ces gens.

— Oh ! notre condition pourrait être pire ! D'ailleurs elle l'a été. Mais elle pourrait aussi être meilleure...

— Vous faites allusion à votre maison ?

Une rigole d'eau glissait sous la porte et s'infiltrait à l'intérieur de la salle.

— Je vis ici mais ce n'est pas « ma » maison.

Etait-ce la délicatesse qui lui interdisait d'en dire plus ? Je venais de comprendre avec étonnement que cette chaumière était ma propriété ou qu'elle le serait un jour, comme la plupart des autres bicoques qui se trouvaient sur nos terres. Cette pensée me mit mal à l'aise. Je me levai :

— Vous ne pouvez pas partir par ce temps affreux, surtout sans souliers !

— Il le faut, pourtant.

La femme m'accompagna jusqu'à la porte. La

pluie avait cessé mais ce qui avait été un chemin était maintenant transformé en ruisselet. Les chaumières accrochées au flanc de la colline semblaient sans vie. Nous étions isolées dans un monde à part et curieusement proches l'une de l'autre en dépit de tout ce qui nous séparait. Elle murmura :

— Il n'y a aucun mal à rêver. Ce que j'aimerais, quand Reuben aura réussi à améliorer sa conditon quand peut-être il deviendra cocher...

Elle n'acheva pas sa phrase ; une silhouette approchait à grandes enjambées sur le chemin noyé de pluie.

— Voici Reuben !

A son appel, il fit un signe et courut pour nous rejoindre, les joues empourprées par la hâte.

— Rentre vite ! Tu dois être trempé !

— Non, mère, je n'ai pas le temps : je cherchais mademoiselle Tessa. Monsieur Steadman l'a vue prendre cette direction et m'a conseillé de la reconduire au manoir dans la petite charrette à suspension, la seule que l'on puisse utiliser par un temps pareil.

— Ma grand-mère est-elle au courant de ma promenade ?

— Elle vous a réclamée, mademoiselle. Elle croit que vous vous êtes réfugiée dans la grange à cause de l'orage, mais nous avons des ennuis : la foudre y est tombée, causant d'importants dégâts qu'il va falloir réparer, et la route est inondée...

— Je dois partir immédiatement !

— Nous n'en avons que pour dix minutes de trajet, dès que nous aurons rejoint la charrette ; pour venir, j'ai emprunté le chemin du pont.

Sa mère fourrageait dans une armoire :

— Tenez ! C'est un vêtement d'homme mais il vous protégera !

Elle recouvrit mes épaules d'une pelisse épaisse et me tendit mon chapeau de paille qui avait triste mine.

— Reuben, elle va attraper la mort, à marcher ainsi sans souliers !

Il m'enleva dans ses bras comme si j'avais été un vulgaire colis.

— A dimanche, maman.

— Merci de votre hospitalité ! criai-je tandis que Reuben dévalait la pente, ses bottines s'enfonçant dans la terre spongieuse.

Quand nous arrivâmes au manoir, j'aperçus Steadman qui rôdait à proximité de la porte d'entrée ; Emma se tenait derrière lui et au coup d'œil affolé qu'ils lançaient en direction du vestibule, je compris qu'il n'y avait pas de temps à perdre. Reuben sauta en bas de la charrette et me déposa en haut sur le perron. Cette fois-ci, ce ne fut plus l'euphorie qui me fit sourire mais une nervosité mêlée de crainte. Je souriais encore quand Steadman s'écarta pour livrer le passage à grand-mère ; elle apparut, droite et rigide dans ses larges jupes noires qui emplissaient de leur volume le couloir. Elle était profondément courroucée mais, malgré ma toilette ravagée et mon apparence inhabituelle, je n'étais pas l'objet de sa colère. D'ailleurs, elle n'était jamais fâchée contre moi. Sa fureur s'abattit sur Reuben :

— A quoi pensez-vous, Reuben ? Veuillez déposer mademoiselle Tessa à terre ! Comment osez-vous prendre une telle liberté...

Les rubans de son bonnet en tremblaient. Son visage s'était dangereusement empourpré, et elle bégayait sous l'effet d'une rage incohérente. L'espace d'un instant, je réalisai pour la première fois à quel point elle était âgée et je craignis qu'elle ne tombât à terre, inanimée.

— Tout de suite, madame... Veuillez me pardonner !

Reuben fit quelques pas et me posa délicatement sur la carpette en peau de tigre. Le regardant enfin, j'émergeai de mon songe ; il me donnait l'impression d'être en grand danger, de côtoyer un précipice. Il abaissa sur grand-mère un regard impavide, tout en déclarant avec une politesse dénuée de ressentiment et surprenante de la part d'un palefrenier :

— Je n'avais pas l'impression de prendre la moindre liberté, madame, mais seulement celle d'accomplir mon devoir.

— Vous allez trop loin. Vous avez outrepassé vos prérogatives ! Vous pouvez...

Il l'interrompit :

— Puis-je prendre la liberté de vous avertir que je quitterai mon poste dès que vous aurez engagé un nouveau palefrenier ?...

— Vous pouvez partir tout de suite ! Prenez vos

affaires personnelles et disparaissez ! riposta-t-elle. Une fois qu'un domestique s'est permis d'outrepasser ses fonctions, il n'y a aucune raison pour qu'il ne recommence pas à la première occasion.

Le visage de Reuben se crispa légèrement. Il marqua une hésitation et se tourna vers moi comme pour me dire au revoir. Le regard que nous échangeâmes n'était pas synonyme d'adieu, c'était l'expression muette de deux êtres habitués à se côtoyer depuis des années dans une totale indifférence et qui s'aperçoivent brusquement qu'ils viennent de se rencontrer et de se reconnaître. Il semblait qu'après m'avoir convoyée en se tenant à distance respectueuse et avoir chevauché en ma compagnie pendant de longues randonnées, il était devenu soudain mon égal et mon complice. Et cette pensée le faisait sourire, en dépit de tout. Oui, il souriait. Pourtant, il se détourna sans dire un mot et descendit les marches du perron. Je perçus le bruit de son pas qui s'éloignait en faisant crisser les graviers de l'allée.

Un léger mouvement au pied de l'escalier me fit prendre conscience de la présence de Mme Masson, surgie de l'ombre dans sa délicate toilette aux reflets de miel. Elle avait assisté à la scène, j'en étais persuadée et, pour cette raison, je la haïssais davantage, me méfiant de la moue suave qui incurvait ses lèvres tandis qu'elle s'apprêtait à prendre congé. L'ourlet de ma jupe humide frôla la mâchoire retroussée du tigre immolé en tapis. J'en rassemblai les plis en frissonnant. Les domestiques avaient disparu. J'étais à nou-

veau seule, seule face à grand-mère et à son affection
dévorante.

Je venais de la décevoir. Une fois de plus. J'avais
échoué dans ce combat mené avec âpreté pour devenir
l'incarnation des vertus propres à la vénérable famille
Jasmyn dont j'étais la dernière descendante.

— Tu possèdes une grande force de caractère,
Tessa. Je le sais. D'ailleurs, c'est indispensable quand
on est une Jasmyn... Mais il y a chez toi certaines
imperfections redoutables, illustrées par ton comportement déplorable de cet après-midi...

Ayant revêtu une nouvelle toilette d'un blanc
immaculé, je me tenais aussi droite que je le pouvais
sur la chaise inconfortable qui m'était réservée, à côté
du fauteuil préféré de grand-mère. C'était ma place
habituelle, là où j'avais été instruite des bonnes
manières. On m'avait appris à demeurer parfaitement
immobile, et j'étais passée maîtresse dans cet art.

— Tu as la responsabilité de te comporter avec
bienséance et dignité...

J'écoutais passivement le sermon dont les termes
familiers constituaient un rite immuable :

— ... Souviens-toi que tu es l'unique rescapée des
Jasmyn de Barmote ! Il n'y a plus personne d'autre...

L'insistance de grand-mère à affirmer ma supério-
rité génétique avait insufflé dans mon esprit troublé
l'idée d'un personnage imaginaire, qui aurait aspiré à
être un Jasmyn sans jamais en obtenir le privilège.
Bien qu'elle ne l'eût jamais mentionné, je supposais

qu'elle faisait allusion à cet homme mystérieux venu
jadis des Indes. Longtemps auparavant, j'avais
entendu parler de lui grâce aux commérages intarissa-
bles des domestiques. L'étranger s'était présenté au
manoir, déclarant être le petit-fils de Rodney Jasmyn,
le premier des membres de la famille à s'être aventuré
aux Indes. Souvent, quand, dans l'obscurité de la nuit,
je tâtonnais, privée de bougie, à la recherche de mon
chemin, j'avais l'impression qu'il me guettait, embus-
qué au détour de l'escalier menant aux chambres, vêtu
comme un maharajah et brandissant un cimeterre
sanguinaire.

Grand-mère afficha une certaine nervosité en
buvant la tisane calmante apportée par Emma. Mon
escapade l'avait bouleversée. En proie à de lancinants
remords, je me souvins qu'elle avait en horreur les
orages et je me sentis responsable d'avoir déclenché
celui de l'après-midi par ma fugue et mon comportement insolite auprès du vieux puits. Ayant été élevée
dans la certitude que rien n'était dû au hasard et qu'il
fallait croire aux manifestations de la providence,
j'admettais difficilement la possibilité d'une simple
coïncidence, car la réponse au vœu témérairement
formulé s'était révélée d'une promptitude déconcertante. D'autre part cette invocation païenne avait
dépassé mon souhait : je ne désirais pas réellement
devenir libre. Quel être normalement équilibré aurait
pu aspirer à quitter le manoir de Barmote, la seule
demeure importante de la région ? Et qui aurait pu
envisager, par une cruauté impardonnable, d'aban-

donner grand-mère ? Elle était adorable et généreuse,
à tel point qu'elle pardonnait immédiatement mes stu-
pides bévues, sans pour autant les oublier.

« Je te pardonne, Tessa ». Cette phrase, que
j'entendais chaque fois que je commettais une sottise,
avait peu à peu perdu de son impact, car j'avais constamment quelque chose à me faire pardonner. Et
même la sévérité occasionnelle de mon aïeule ne
m'atteignait plus.

Grand-mère était déjà veuve quand mon père, son
fils unique, capitaine au 32e régiment d'infanterie des
armées de Sa Majesté, était tombé dans une embus-
cade, au cours d'une sortie effectuée contre les
Cipayes, à Chinhat. Cette nouvelle n'avait atteint
Barmote que beaucoup plus tard, alors que Lucknow,
la capitale de l'état indien où sévissait le conflit,
venait d'être libérée. Alice, ma mère, était morte
d'une fièvre pernicieuse, lors des derniers jours du
siège de la ville. Tout ce que nous savions d'elle était
contenu dans une poignée de lettres rédigées avant ces
terribles événements. Elle avait été engloutie dans
l'obscurité d'où son mariage prestigieux — ainsi que
se plaisait à le répéter grand-mère — l'avait fait sortir.
Ma mère était en effet la sœur d'un pasteur. Pourtant, le mariage de mes parents ne pouvait être sujet à
contestation puisque le gouverneur en personne avait
présidé à cette union. Un trait de caractère préjudicia-
ble évidemment légué par ma mère était continuellement monté en épingle : je ne pouvais devoir cet esprit
futile et inconséquent tant reproché qu'à celle qui

m'avait donné le jour. Ce manque de pondération et de dignité ne venait pas des Jasmyn. C'était impensable, inconcevable !

La tasse tinta dans la soucoupe quand grand-mère la déposa sur le guéridon, entre une pile de livres pieux et ses lunettes à monture d'ivoire. L'observant avec prudence, je fus surprise de voir sa main trembler tandis qu'elle la portait à son front. Grand-mère avait des traits racés, aux méplats fermes et accusés, et ses yeux sombres étincelaient d'une énergie indomptable. C'était un visage attirant, sans beauté réelle mais empreint d'une forte personnalité qui m'impressionnait.

Mais ce soir-là, sous l'impulsion d'une témérité inhabituelle, je décelai sur ce visage attachant les stigmates de la souffrance et l'expression d'une mélancolie tenace, ordinairement masquée sous une indifférence affectée.

Comme elle avait dû souffrir, en cette époque lointaine de deuils successifs, enfermée dans sa solitude ! Puis, au mois d'août de l'année 1858, lui était parvenu un message envoyé par un chirurgien militaire revenu au pays natal avec quelques-uns des rares survivants de la 32e armée d'infanterie ; une courte lettre lui annonçait mon existence : « ... la très jeune enfant du capitaine Jasmyn, votre fils. » Mon arrivée, escortée d'une nourrice, apportait brusquement à cette femme anéantie par le chagrin un regain de vitalité.

Quand mon aïeule posa pour la première fois les yeux sur moi, je n'avais pas deux ans.

La première chose dont je me persuadai, quand grand-mère entreprit la tâche ardue de faire de moi l'héritière digne de sa race, fut que j'en étais absolument indigne et qu'il convenait de juguler par une volonté sans relâche mes méprisables défauts. Je devais prier Dieu afin qu'il m'accordât les qualités susceptibles de vaincre ma nature véritable et de maîtriser des tendances délictueuses.

Mon emploi du temps était minutieusement organisé : les études, la répétition des leçons apprises et les travaux de couture engendraient en moi de nouveaux sujets de doute quant à mes facultés.

J'avais pris l'habitude d'endurer ces épreuves quotidiennes comme autant d'obstacles à franchir pour devenir digne des Jasmyn.

Je connaissais des périodes de désespoir et de découragement, et j'éprouvais parfois le sentiment d'une injustice intolérable. Par exemple, quand je soumettais fièrement à la critique de grand-mère, un travail de couture qui m'avait coûté des heures de travail, elle l'examinait d'un œil perçant et déclarait :

— C'est très bien, Tessa. A présent, afin de démontrer que l'effort est plus valable et méritoire que l'accomplissement d'une tâche, je suggère que tu défasses cet ouvrage et que tu le recommences.

Ces pénibles expériences, si décevantes fussent-elles, avaient au moins la propriété de me convaincre que si Dieu avait le pouvoir de me punir pour mes erreurs, il n'avait pas l'intention de me récompenser pour mes mérites !

Grand-mère consulta la pendule : bientôt vingt heures...

— Tessa, je désire avoir avec toi un entretien de la plus haute importance. Tu dois faire un examen de conscience scrupuleux et me dire en toute franchise ce que tu as fait cet après-midi. Une promenade ? Seule ?

Je lui fournis les explications demandées, et elle me rétorqua, indignée :

— Alors que tu savais pertinemment que madame Masson risquait de nous rendre visite ! J'ai été obligée d'excuser ton absence. Elle s'est montrée très surprise. Tu sais à quel point je tiens à ce qu'elle se sente chez elle parmi nous. C'est très difficile de conserver un locataire dans ce pavillon ; les Warman n'y sont pas restés une année ! Ta conduite est d'une légèreté coupable... Cependant, cette triste initiative m'a aidée à arrêter une sage décision.

Il fallait s'y attendre : elle allait exiger de moi la promesse de ne plus sortir seule. C'était comme une porte qui se refermait sur mes velléités de liberté et d'indépendance. Je décidai de prendre les devants :

— Grand-mère, je crois que vous vous faites des idées au sujet de Reuben... Il s'est comporté très respectueusement. Sa pauvre mère et lui se sont montrés fort aimables ! Et elle était tellement heureuse qu'il ait un emploi chez nous. Reuben a été infiniment serviable et...

J'interrompis brusquement ma phrase ; elle ne savait pas à quel point Reuben m'avait secourue quand j'avais dû affronter la grande tragédie de ma vie, la mort de Lance, l'épagneul que j'adorais et qui avait dû être abattu parce qu'il pourchassait les moutons. Je me rappelais sa sollicitude quand il avait creusé la tombe du malheureux chien pour l'y étendre délicatement au fond. A présent, je comprenais qu'il avait fait davantage : Reuben avait partagé mon chagrin. Grand-mère ignorait tout de la tombe que nous avions érigée, et aurait désapprouvé une telle initiative.

Grand-mère attendait que j'achève mon propos, l'œil aigu et soupçonneux ; j'ajoutai hâtivement :

— Peut-être serait-il possible de lui conserver cet emploi ?

— C'est hors de question. Il touchera intégralement ses gages mais il doit partir. Je connais ce genre d'individu ! De plus tu es maintenant trop âgée pour... je ne peux pas exprimer le choc que j'ai ressenti quand je t'ai vue dans les bras de ce paysan mal dégrossi ! Cela dépasse l'imagination. Avec tes cheveux défaits et tes pieds nus, tu ressemblais à... une fille de mauvaise vie ! Quant à madame Masson, elle...

Ces pauses irritées qu'elle marquait entre les phrases suggéraient que je m'étais conduite de manière inqualifiable. L'humiliation me fit monter le rouge aux pieds. A ce moment, la pendule sonna et je m'empressai d'agiter la clochette pour avertir les domestiques qu'il était l'heure de la prière. Ce soir-là, au lieu de la lecture habituelle, grand-mère choisit un nouveau psaume où il était question « d'une femme dépravée » et qui se terminait par « Qui sème le vent récolte la tempête ! »

J'étais trop honteuse pour ne pas me sentir concernée par l'évidence de l'allusion.

Le lendemain matin, tandis que je l'aidais à préparer son courrier, elle annonça :

— Tessa, je crois qu'il serait salutaire que tu aies à tes côtés quelqu'un de ton âge.

Je n'aurais voulu pour rien au monde qu'elle pût imaginer que je préférais la compagnie d'une personne jeune à la sienne. Mais déjà mon esprit vagabondait avec un fol enthousiasme : ce serait merveilleux d'avoir enfin une amie de mon âge, avec qui je partagerais mes loisirs, échangerais des confidences. Je suggérai :

— Mademoiselle Quéva accepterait peut-être de revenir au manoir... Depuis son départ, il n'y a personne pour m'accompagner en promenade.

Ma gouvernante française était arrivée deux ans auparavant, en octobre 1870 et nous avait quittées au mois de mars précédent. Nous nous étions séparées dans les larmes. J'ajoutai impulsivement :

— C'est curieux qu'elle ne soit pas restée ! Je croyais qu'elle se plaisait ici.

Grand-mère murmura :

— Je pensais à ton avenir... Le meilleur compagnon pour toi serait un mari...

La perspective du mariage, qu'elle avait ancrée en moi, ne m'accablait pas particulièrement, mais dans l'immédiat, je n'étais pas prête à ce sacrifice.

— ... Un jour, je ne serai plus là... Tu es incapable de gérer seule le domaine. Les investissements sont d'excellent rapport et tu seras très riche, Tessa !...

J'essayais de m'imaginer vêtue d'une stricte robe noire, portant altièrement la châtelaine de mon aïeule et discutant gravement des affaires en cours avec M. Pawley, notre homme de loi.

— ... Tu seras obligatoirement à la merci des coureurs de dot ou d'une lubie dangereusement romanesque de ta part !

— Mais, grand-mère, protestai-je, éprouvant brusquement un soulagement intense, je ne connais personne qui désire m'épouser !

Mon objection était fondée : dans notre région, je ne voyais personne capable de s'imposer en qualité d'époux d'une Jasmyn.

Elle demeura plongée dans un silence interminable. Je fixais le feu qui flamboyait dans la cheminée ; ce spectacle avait le don de me rassurer. Je repris à voix basse, en maîtrisant la joie provoquée par l'idée qui venait de me traverser l'esprit :

— Si je me mariais, je ne m'appellerais plus Jasmyn ! Il me faudrait partir d'ici, et mes enfants ne seraient pas des Jasmyn...

Force me fut de constater que ma brillante remarque ne l'avait pas ébranlée. J'insistai :

— Vous n'aviez pas songé à cela...

— Oh ! si, et très souvent, Tessa. J'ai longuement prié pour trouver une solution à ce dilemme...

Elle prit une profonde inspiration :

— Tu resteras une Jasmyn et tes enfants seront des Jasmyn, ... si tu épouses un Jasmyn !

Il me fallut un long moment pour comprendre, puis quelque chose se brisa en moi, comme si un souffle glacé venait de détruire un espoir insensé :

— Voulez-vous dire que vous désirez me voir épouser mon cousin Ashton ?

Elle inclina la tête ; une lueur de triomphe animait ses yeux sombres.

— Mais, grand-mère, Ashton est vieux !

Ce n'était pas un argument valable, simplement une constatation.

— Il est un peu plus âgé que toi, tout simplement.

— Au moins de dix ans !

Nos relations avec cette branche de la famille étaient fort limitées, bien que nous eussions le même arrière-grand-père. Sans ce lien ancestral, grand-mère aurait depuis longtemps cessé tout contact.

— Que pourrions-nous souhaiter de mieux, ma chère enfant ? Ashton possède la maturité qui te fait tellement défaut et que tu n'atteindras probablement jamais, je le crains !

A présent que nous avions entamé ce sujet, elle reprenait confiance, se faisait persuasive :

— Nous avons besoin de l'aide qu'il peut nous apporter au domaine. Tu ignores les charges que j'ai dû supporter seule, et je ne suis plus jeune... Il dépend maintenant de toi que je sois heureuse...

Elle prit discrètement son mouchoir pour essuyer ses larmes. Elle n'avait pas pour habitude de manifester ses états d'âme ni d'afficher ses chagrins et même maintenant elle luttait farouchement pour m'épargner ce spectacle.

Elle me libéra, en suggérant que, pour une fois, je pouvais étudier dans le jardin puisque le temps s'y prêtait.

Tandis que je quittais le salon, elle demeura immobile, prostrée dans son fauteuil, les yeux clos, blessée par mon départ silencieux.

CHAPITRE II

Sur la terrasse, assise sous la charmille, je ne pouvais qu'évoquer mon cousin, avec la même acuité que s'il avait été présent. Il viendrait bientôt, j'en étais persuadée. D'ailleurs, cette visite devait être prévue depuis longtemps. Grand-mère n'aurait pas fait allusion à un mariage possible avant d'en avoir d'abord discuté avec lui. Je comprenais soudain les raisons du manque d'intérêt d'Ashton envers la filature de coton qui appartenait à son père, ses nombreux voyages d'agrément sur le continent et ses séjours occasionnels à Barmote. Il tuait le temps en attendant patiemment que le domaine lui appartînt ; il lui suffisait de m'épouser pour devenir le maître absolu du manoir, des terres et des fermes, le maître, aussi, des trésors fabuleux rapportés des Indes par mon grand-père. C'était un complot longuement mûri, auquel j'étais bien incapable de résister.

Enfant, Ashton avait connu et admiré mon père ; c'était la seule caractéristique attendrissante que je lui consentais. J'étais très petite quand, lors de nos visites à Stydding, nous regardions Ashton diriger le siège et la défense de son fortin miniature, son comportement m'instruisait mieux des horreurs de la révolte indienne que n'importe quel ouvrage d'histoire. Quand il tirait avec son canon ou quand il pendait du haut d'un gibet les misérables pions, je gémissais. Il répliquait alors d'un ton blasé : « Ne sois donc pas stupide ! Rien n'est trop mauvais pour ces ignobles brutes. Ils ont tué ton père, ne l'oublie pas ! Ils ont torturé des enfants et des femmes innocentes. Leurs crimes sont trop horribles pour que je puisse te les raconter en détail. »

En dépit de ces manœuvres dignes d'un état-major hautement qualifié, Ashton n'était pas entré dans l'armée ; il s'était contenté de m'attendre...

Mais, plus que les carnages hideux inventés par sa haine atavique, je craignais ses souris blanches. Quand nous lui rendions visite, il ouvrait la cage et libérait les minuscules rongeurs, les invitant à ramper le long de ses poignets anguleux. Un jour que j'avais tenté de fuir, il m'avait rattrapée et avait déposé une souris sur mon cou, en prenant soin de soulever mes cheveux pour mieux m'exposer à l'odieux contact des pattes grouillantes.

Les manières courtoises qu'il avait récemment acquises n'avaient pu chasser de ma mémoire l'infâme traitement qu'il m'avait infligé. Peu à peu, grand-mère avait espacé ses visites à Stydding. Le voyage était trop long, et l'amitié qu'elle portait à la mère d'Ashton s'était atténuée...

Emma s'avança vers moi, l'air affolé.

— Madame vient d'avoir un nouveau malaise !...

Avec l'aide d'Emma, je parvins à convaincre grand-mère de recevoir la visite d'un docteur qui parla de troubles cardiaques possibles et prescrivit de la digitaline et interdit toute émotion. Devant ce verdict sévère, grand-mère grimaça un sourire :

— Comme si ce genre de mal était uniquement physique !

Le soir, au moment où je m'apprêtais à me retirer dans ma chambre, elle me retint et annonça :

— Je vais écrire à Ashton pour l'inviter à nous rendre visite. J'espère que tu n'y voies aucune objection ?...

— Non... c'est-à-dire..., balbutiai-je.

Embarrassée, je me dirigeai vers la fenêtre avant de déclarer :

— Cette visite me semble prématurée. Je ne pourrais pas me conduire avec naturel, connaissant vos projets.

— Comment peux-tu avoir l'audace de parler ainsi, Tessa ?

Je lui adressai un sourire d'excuse tandis qu'elle fouillait fébrilement dans son réticule, à la recherche de ses gouttes. La souffrance se peignait sur son visage émacié. Je mesurai la dose prescrite par le médecin et lui tendis un verre. Si elle mourait maintenant, ce serait exactement comme si je l'avais tuée de mes propres mains !

Elle murmura faiblement :

— Je suis si lasse ! Ashton pourrait me donner des conseils pour la gestion du domaine ; il est tellement pondéré, tellement efficace...

— Très bien. Qu'il vienne ! capitulai-je.

Quinze jours plus tard, Ashton arrivait à Barmote.

Dissimulée derrière un rideau, je le vis descendre de voiture. Il s'immobilisa dans l'allée sablée et, tourné vers le manoir, parut évaluer l'imposante façade en pierre de taille et les piliers jumeaux qui encadraient le porche. Il m'accueillit aimablement au pied de l'escalier.

— La petite Tessa ! Il y a si longtemps !... Tu es exactement comme dans mon souvenir, seulement un peu plus grande...

Il était aussi blond que moi et d'une élégance surprenante dans son manteau de lainage rehaussé d'un col de velours. Indubitablement, grand-mère parut ravie de son aspect. Ashton nous confia qu'il avait interrompu son voyage pour rendre visite à son ami Packby.

— C'est un remarquable homme d'affaires. Nous avons échangé des propos passionnants. Saviez-vous, madame Jasmyn, que vous possédez une mine d'or sur vos terres ?

Il eut un rire léger devant nos expressions étonnées. Il y avait dans ses gestes une sûreté qui inspirait confiance. Il expliqua :

— Il s'agit d'une espèce particulière de grès, très

recherchée pour son poids et sa solidité. Aimeriez-vous que je m'occupe de l'exploitation de cette carrière abandonnée ?

J'estimais le sujet fastidieux, et j'en profitai pour surveiller Ashton à la dérobée. Sa présence apportait un changement qui rompait la monotonie de ma vie.

— La route menant au manoir a besoin d'être drainée, madame Jasmyn. Il n'est pas surprenant que vous ayez des difficultés à conserver des locataires dans le pavillon. Il est indispensable d'améliorer le chemin et même d'en créer un nouveau.

Ils discutèrent des modifications envisagées, évoquant également l'avantage de moderniser l'installation d'eau chaude du pavillon et d'y prévoir une salle de bains.

Le crépuscule était tombé. Nous nous dirigeâmes tous les trois vers la terrasse abritée, à l'arrière de la maison.

Les jours suivants, Ashton et moi prîmes l'habitude de nous promener fréquemment. La crainte d'une allusion directe à notre mariage m'obligeait à parler inconsidérément. Je savais néanmoins que s'il l'avait voulu, il aurait coupé court à mon babillage et choisi un sujet de son choix.

Par une matinée sinistre et lugubre à souhait, je rencontrai Ashton dans la galerie qui dominait la grande salle :

— Cet endroit manque de lumière, Tessa, ça ressemble à un caveau de famille, surtout avec tous ces portraits pendus au mur, commenta-t-il irrespectueu-

sement. Ah ! voici notre arrière-grand-père commun !
Vous lui devez une gratitude infinie, c'est lui, la brebis
galeuse qui a fondé la fortune de la famille.

— En quoi était-il une brebis galeuse ? demandai-
je innocemment.

Ashton me lança un coup d'œil interrogateur,
comme pour mesurer ma candeur.

— Je suppose que sa vie a été une succession de
scandales, jusqu'à son retour au pays natal, quand il a
enfin appris à se conduire avec dignité.

Un bruit, juste au-dessous de l'endroit où nous
nous tenions, me fit me pencher par-dessus la balustrade. Je m'attendais à voir Emma ou Steadman,
mais personne n'apparut.

— ... Question encore plus intéressante, reprit
mon cousin : pourquoi est-il revenu ? Pour la même
raison qu'il était parti, je suppose : pour échapper à
d'autres complications. Il y a certainement un fond de
vérité dans toutes les rumeurs qui courent à ce sujet...

— Quelles rumeurs, Ashton ? questionnai-je poliment.

— Tu n'as jamais entendu parler de l'histoire de
cet étranger ? Ah ! si, quand même ! Je constate que
vous avez tout de même d'autres sujets de conversation que le repentir et la manière d'éviter les pièges
charnels ! On en parle encore à l'auberge de « la Tête
de canard »...

— Qu'est-il arrivé exactement ?

— Eh bien, un seigneur de Calcutta, accompagné
d'un domestique indien, s'est présenté au manoir, en

proclamant que le domaine lui appartenait puisque sa grand-mère avait été l'épouse de Rodney Jasmyn !

— Notre arrière-grand-mère aurait donc été sa seconde femme ?

— Quelque chose de ce genre.

Il regarda pensivement le portrait :

— Bien entendu, ta grand-mère n'a jamais fait aucune allusion de ce genre, devant toi ?

— Elle déteste parler des Indes.

— Je la comprends. Certaines choses doivent demeurer ignorées. De toute façon, il n'y a plus aucun espoir de déterrer un jour les secrets du vieux Rodney !

Ce fut surtout parce qu'il s'était rapproché de moi et avait pris ma main que je demandai avec vivacité :

— Qu'est-il advenu de cet homme mystérieux ?

— Notre bisaïeul était beau joueur ; il l'a invité à rester pour la saison de la chasse à la grouse. C'était pendant un mois d'août particulièrement pluvieux. Le mauvais temps et la nourriture ont eu raison du malheureux ; il a fait ses adieux au bout d'une semaine et personne n'en a plus entendu parler.

— Ce qui fait que notre arrière-grand-mère a usurpé les droits de cette femme indienne ?

Il souleva mon menton et m'obligea à lever les yeux vers lui :

— Et maintenant, oublions-la, veux-tu ? Elle n'a pas sa place dans l'histoire de notre famille, si tant est qu'elle ait existé.

— Mais cet homme, cet indien, il existait, lui ! Tu

m'as dit qu'il alimentait encore la chronique villageoise, rappelai-je avec la vague et désagréable impression que cet étranger avait été traité de bien vilaine manière.

— Oh ! c'est sans doute un vieil habitué de l'auberge qui a inventé cette histoire. Quelqu'un a dû apercevoir un colporteur oriental venu incidemment proposer des babioles exotiques au manoir, et étant donné la rareté de ce genre d'individu dans la région, il n'est pas passé inaperçu. Ce sont des commérages, rien de plus.

Je me trouvais brusquement transportée dans un monde mystérieux, surgi du passé et plus particulièrement de ce pays étrange où j'avais vu le jour. Je m'écriai :

— Rodney Jasmyn est responsable d'une injustice et, par la suite, nos oncles ont suivi son exemple : ils sont tous partis là-bas. Mon père aussi ! J'aurais aimé que les choses soient différentes...

— En ce cas, tu ne serais pas riche, ma chère.

— Cette fortune m'oppresse, de toute façon. Elle assombrit ma vie !

— C'est parce que tu es trop seule, Tessa...

Ma franchise venait de lui offrir l'occasion tant redoutée. Il me suivit alors que je cherchais dans une fuite éperdue le moyen de m'éloigner de lui. Affolée, je courus vers l'escalier en prétendant que je voulais voir Emma. Mais ce ne fut pas elle qui émergea de l'ombre ; les flammes de la cheminée éclairèrent soudain la gracile silhouette de Mme Masson qui se dirigeait vers la porte. Je m'étonnai que Steadman ne fût pas présent pour la reconduire ; j'espérais qu'elle s'en irait sans avoir remarqué ma présence, mais elle leva sa tête ornée d'un chapeau fleuri et me sourit. Je ne pus faire autrement que de lui présenter mon cousin, et elle exprima quelques mots de bienvenue. Ashton s'inclina et lui ouvrit galamment la porte.

— Ce mauvais temps ne vous impose-t-il pas de rester chez vous, madame ?

— Tant qu'il ne pleut pas, je n'y porte aucune attention. Et puis, le pavillon n'est pas bien éloigné...

Elle releva délicatement sa jupe et l'attacha avec une fine agrafe d'or. Nous la regardâmes s'engager sur le sentier qui traversait le parc. Un détail anachronique me frappa soudain, que je ne parvins pas à définir avec exactitude, une impression qui devait peser dans la réserve que j'éprouvais chaque fois que je me trouvais en présence de Mme Masson. Ashton demanda brusquement :

— Qui est réellement, cette femme, à part sa situation de locataire du pavillon ?

— Je l'ignore. D'ailleurs, comment peut-on savoir qui est réellement quelqu'un ?

CHAPITRE III

Le séjour d'Ashton prit miraculeusement fin : des engagements ou des affaires urgentes réclamèrent subitement sa présence à Londres. Je l'accompagnai à la gare uniquement pour le plaisir de revenir seule, le cœur léger à la pensée que j'allais pouvoir redevenir moi-même. Reportée à une date imprécise, l'idée de notre mariage me devenait supportable.

Si le séjour d'Ashton avait provoqué en moi une tension désagréable, grand-mère, elle, était épuisée. Elle avait dû souffrir de ses manières autoritaires, comme s'il était déjà le maître du manoir. Elle avait certainement désapprouvé ses flâneries empreintes de curiosité à travers les vastes pièces, sa façon désinvolte et avide de soupeser un bibelot en jade ou en onyx pour en évaluer le prix.

— Tessa, cette solution est parfaite sous tous les rapports... Mais il n'y a pas lieu de se hâter, me confia-t-elle le soir au dîner.

Elle se laissa aller contre le dossier de son fauteuil avec l'air d'avoir toute la vie devant elle.

— Tant que je serai là, des fiançailles suffiront. Et j'aurai enfin l'esprit en paix.

— Après tout, Ashton a peut-être changé d'avis ? osai-je objecter.

— Je suis certaine que tout comme moi, il souhaite cette union. Mais les jeunes gens ne sont guère pressés de s'établir et de fonder un foyer. Il n'est pas nécessaire que tu te maries avant vingt ans, à moins que je ne disparaisse avant. Il doit y avoir un engagement officiel avant ma mort puisque tu es mineure, Pawley l'a précisé. Autrement, il y aurait de nombreuses complications, et je tiens à ce que tout soit en règle.

— Vous avez encore de longues années devant vous, grand-mère, dis-je pour éluder l'approbation qu'elle semblait quémander.

Il me fallait bien admettre que mon cousin était séduisant, et beaucoup plus agréable que je l'avais imaginé d'après mes pénibles souvenirs d'enfance. Pourtant, j'étais incapable de faire à grand-mère cette promesse tant désirée. Ç'eût été une prise de position irrévocable, comme un document signé officiellement devant un homme de loi.

J'ignorais de quelle durée serait mon répit, et cette vague attente présenta l'avantage de me rendre plus sensible au bonheur de mon existence présente et d'effacer les menus problèmes quotidiens que j'avais jugés dramatiques jusque-là. Grâce à cette légèreté d'esprit que mon aïeule me reprochait, j'avais l'avantage de goûter l'heure présente sans plus songer au jour fatidique où tout serait remis en question.

A la fin de l'automne, grand-mère reçut une lettre des plus inattendues.

— C'est le colonel Darlington qui écrit, me précisa-t-elle. Il est revenu définitivement au pays, après vingt-sept années de service aux Indes. Il s'est installé à Cheltenham.

— L'ami de mon père ? Le Capitaine qui a apporté le rubis à ma mère ?

Le visage de grand-mère se figea.

— J'ai toujours regretté de laisser sortir cette pierre précieuse de notre cassette familiale, mais ton père a tellement insisté pour l'offrir à sa femme ! Il n'avait aucun bon sens quand il s'agissait d'elle. Si j'avais suivi mon idée, ce rubis n'aurait pas quitté Barmote et il serait à toi, aujourd'hui.

Le rubis avait disparu au cours des événements confus qui s'étaient déroulés dans l'état d'Uttar Pradesh. Pour ma part, j'estimais qu'il était juste qu'il retournât aux Indes où il avait été dérobé durant le pillage d'un palais princier, avant de tomber entre les mains de mon arrière-grand-père. Grand-mère, elle, considérait sa perte comme un exemple de plus de la veulerie de ma mère qui s'était contentée de mentionner sa perte dans une lettre, comme s'il s'agissait d'un bijou de pacotille.

Je me serais bien gardée de défendre la mémoire de ma mère, qui m'apparaissait comme une créature faible et sans personnalité ; ses lettres n'avaient d'ailleurs pas été jugées dignes d'être conservées. Une fois, en proie à la nostalgie, j'avais demandé si je pouvais en prendre connaissance ; un silence s'était alors installé entre grand-mère et moi, soulignant l'incongruité de ma requête, que grand-mère avait rompu en déclarant sèchement : « Je les ai détruites ! »

Cependant, mis à nouveau sur la sellette, ce sujet brûlant était délicat à écarter. Elle crut nécessaire de préciser que toutes les dames de haute lignée avaient réussi à sauvegarder leurs bijoux pendant les cent cinquante jours qu'avait duré le siège, et les avaient emportés, cousus dans l'ourlet de leurs jupes. Lorsque j'osai mentionner, car c'était un argument en sa faveur, que ma mère était morte pendant le siège, grand-mère eut un geste d'indifférence comme s'il s'agissait là d'une circonstance insignifiante.

— Elle aurait pu trouver un moyen, rétorqua-t-elle. A dire la vérité, si pénible soit-elle, le mariage de Charles a été une erreur. Rien n'est plus désastreux qu'une mésalliance. Fort heureusement, ceci ne risque pas de se produire dans ton cas. Vous formerez, Ashton et toi, un couple idéal et équilibré.

Les nuages s'accumulaient à nouveau au-dessus de ma tête. La lettre du colonel avait réveillé mes souvenirs et l'angoisse qui m'oppressait.

— Le colonel se montre infiniment courtois, reprit grand-mère. Il aimerait me rendre visite mais sa santé est précaire ; il souffre du climat humide, qui réveille son ancienne blessure...

Elle aurait dû ajouter : « fort heureusement »,

tant elle semblait peu enthousiaste à l'idée de le recevoir. Cette visite n'était pas prévue dans ses plans :
elle avait des problèmes plus urgents à résoudre.

Un après-midi venteux de novembre, je la trouvai
installée dans le boudoir, près du feu, enfouie, selon
son habitude, sous une pile de châles indiens qu'elle
affectionnait particulièrement. En m'apercevant,
grand-mère entama son sujet favori, d'une voix
gémissante qui contrastait avec son intonation habituelle :

— Il n'est pas nécessaire de remettre à plus tard ce
que nous avons décidé. Nous allons dès maintenant
prendre les dispositions nécessaires pour tes fiançailles, pendant que je suis encore de ce monde.

La fin brutale de ma longue incertitude, les sou-
pirs sinistres du vent, l'achèvement de mes rêves
d'avenir me rendirent téméraire :

— Oh non ! je vous en prie, pas encore... Si vous
m'aimez, ne m'y obligez pas !

Mes épaules étaient secouées de frissons.

— C'est justement parce que je t'aime...

— Non, non. Cessez de me demander cela.

Mon propre désarroi m'aveuglait à un point tel
que je ne me rendais pas compte de sa nervosité. La
regardant enfin, je constatai avec horreur que ma
grand-mère s'était métamorphosée en une étrangère
au visage hideux. Ses traits étaient bizarrement défor-
més, ses yeux brillaient d'une fièvre où se mêlaient la
fureur et le désespoir. Elle bredouilla d'une voix rauque et effrayante :

— Tu es en train de me tuer...

Elle glissa au fond de son fauteuil, la tête dodelinante. Je tirai sur le cordon de sonnette. Emma accourut, presque aussitôt, suivie de Steadman. Ils m'écartèrent doucement en échangeant un regard consterné. Emma défit le col de grand-mère :

— Cette fois, c'est grave. Il faut vite appeler le docteur !

Plusieurs heures s'étaient écoulées, et j'étais toujours prostrée sur le canapé, installé dans le couloir, à côté de la porte de la chambre de grand-mère.

Qu'allais-je devenir si grand-mère mourait ? Comment vivre seule ici, partagée entre la peur et le besoin vital d'être aimée ?

La porte de la chambre s'ouvrit, laissant apparaître le médecin.

— Docteur, grand-mère n'est pas ?...

— Madame Jasmyn n'a pas complètement repris conscience. Elle peut se rétablir mais elle paraît angoissée : quelque chose l'a profondément troublée. En connaîtriez-vous la raison, par hasard ?

Devant mon mutisme, il poursuivit :

— Une seconde attaque risquerait d'être fatale. Je suis désolé...

Si je prononçais les paroles qu'elle attendait, elle avait une chance de surmonter cette crise et de vivre encore longtemps. En revanche, si elle mourait maintenant, alors que je n'avais rien promis, je serais libre. Mais que deviendrais-je, seule à Barmote ?

J'ouvris la porte et me dirigeai vers son chevet. Je me penchai sur le pauvre visage déformé et plongeai mon regard dans les yeux exorbités et inexpressifs. Ce fut l'amour que je lui portais qui me poussa à murmurer :

— Je ferai tout ce que vous voudrez, grand-mère... J'épouserai Ashton s'il le désire. Je le promets... Je le jure...

Dès le lendemain matin, une nette amélioration se produisit dans l'état de grand-mère. Ma promesse n'avait pas été inutile. Au bout de quelques semaines, elle put quitter son lit et rester assise dans un fauteuil.

Je l'avais veillée presque quotidiennement, si bien que les jours m'avaient paru sans relief, uniformément semblables et gris, et excessivement épuisants.

Parfois, après un long tête-à-tête paisible, je levais le regard et remarquais que grand-mère me fixait avec une sorte de concentration fébrile qui, bien qu'elle s'adressât indubitablement à moi, n'exprimait pas un intérêt fervent, plutôt une sorte d'indifférence lointaine, comme si elle me considérait comme un élément extérieur à ses problèmes mais avec lequel il convenait de composer.

Un vent sournois avait ouvert la porte. Je me levai pour aller la refermer. Quand je fis demi-tour pour reprendre ma place, elle prit ma main :

— Je me sens beaucoup mieux... Tu as veillé sur

moi avec tant de dévouement, ma chère enfant ! J'ai repris assez de forces pour que nous puissions évoquer tes fiançailles avec Ashton.

Epuisée par le manque d'air pur et de sommeil, je vacillai sans songer à retirer ma main, me demandant par quel sortilège maudit ces fiançailles, qui n'avaient constitué jusque-là qu'une vague hypothèse, devenaient soudain une certitude.

— Tessa, tu dois promettre !

— J'ai déjà promis, grand-mère...

J'essayais de me dégager, mais elle me retint avec une fermeté inattendue :

— Je veux que tu le répètes, je l'exige !

Un entêtement inhabituel avait durci ses traits. Confrontée à une volonté aussi obstinée, je sentais mes forces m'abandonner peu à peu.

— Ashton ne m'a pas encore demandé de l'épouser... Bien entendu, s'il le fait, j'accepterai, terminai-je faiblement.

— Et quand je mourrai, tu l'épouseras sans attendre ! Je veux te l'entendre dire.

Elle serra ma main avec une telle force que je faillis crier.

— Si vous disparaissez, j'épouserai immédiatement Ashton.

— Bien...

Elle relâcha son étreinte, s'adossa à ses cousins et regarda l'objet placé sur ses genoux.

— Regarde, Tessa : ce n'est qu'une coïncidence

bien sûr, mais n'as-tu pas comme moi la certitude qu'elle a sanctifié ton serment ?

Mes yeux se posèrent sur la bible recouverte d'un cuir usagé.

— Pose-la sur la table, ma chère petite.

Elle éleva une main pour remettre en ordre les rubans de son bonnet, et me sourit paisiblement en tournant ses bagues autour de ses doigts, comme jadis.

Je me sentis tel un animal aux abois, pris au piège.

En février, M. Pawley nous rendit visite, en compagnie de mon cousin qui s'attarda au manoir une quinzaine de jours. Il insista sur la nécessité d'engager un nouveau palefrenier pour me permettre de reprendre mes chevauchées et de respirer un peu. En d'autres circonstances, j'aurais apprécié sa sollicitude et goûté sa compagnie. Par la suite, j'appris qu'à partir du jour solennel où avaient été décidées nos fiançailles, grand-mère lui avait fait établir une rente mensuelle. La bonne humeur d'Ashton était communicative et détendait agréablement l'atmosphère. Un jour, il déclara sans ambages :

— Il est grand temps de délivrer Tessa de ses mousselines ridicules !

Ce fut lui qui obligea grand-mère à convoquer Mme Ballard, une célèbre couturière londonienne qui arriva en compagnie de deux assistantes et prit en charge la création de ma garde-robe. Le temps que je passai à la lingerie pour le choix des tissus et les essayages furent autant d'heures que je ne consacrai pas à mes angoisses. Il fut également convenu que Mme Ballard aurait l'honneur d'exécuter ma robe de mariée.

Le séjour de mon cousin eut l'avantage d'interrompre la routine éprouvante dans laquelle j'étais confinée et, après son départ, je continuai à disposer d'une certaine liberté de mouvement. Profitant de la présence de l'infirmière, je pouvais aller et venir à mon gré, savourant chaque minute de ma solitude retrouvée.

Quand je rentrais au manoir, j'étais reprise par l'ambiance oppressante qui y régnait. Il me fallait fournir un prodigieux effort de volonté pour dépasser le tapis en peau de tigre et franchir l'entrée du boudoir poussiéreux où m'attendait grand-mère.

Un après-midi, je me tenais au bord de la brèche dominant le vallon quand j'aperçus près du puits un homme occupé à attacher un seau au bout d'une corde. Il était d'apparence robuste, correctement vêtu de sombre. Il retira son chapeau, le lança dans l'herbe et se pencha au-dessus de la margelle pour scruter le fond du puits comme je l'avais fait un jour. Puis il fit le même geste que j'avais accompli naguère : il ramassa un caillou et le lança dans le puits. Je descendis la pente tandis qu'il se détournait au bruit de mes pas et que son visage s'illuminait d'un sourire éblouissant.

— Mademoiselle Jasmyn...

Alors je reconnus Reuben. Pour lui, désormais, je n'étais plus mademoiselle Tessa, et je le regrettai.

Je me suis fait beaucoup de souci à votre sujet, dis-je... Vous avez été congédié par ma faute. Si c'était à refaire, peut-être pourrais-je tenter de...

Je n'achevai pas ma phrase, consciente de mon impuissance à lui venir réellement en aide.

— Comment allez-vous ? repris-je. Est-ce que vous aimez votre nouvel emploi ?

Je savais par Emma que Reuben travaillait en qualité d'assistant chez l'apothicaire du village. Il s'était redressé et paraissait encore plus grand que dans mon souvenir ; son visage avait perdu le hâle que je lui avais toujours connu.

— C'est tout à fait différent. Au début, je me sentais prisonnier, cloîtré dans cette boutique. De plus, le salaire est modeste, mais c'est une expérience enrichissante.

— Madame Bateman doit être heureuse quand vous lui rendez visite. Vous devez beaucoup lui manquer...

J'avais découvert leur patronyme et, à ma grande honte, c'était tout ce que j'avais réussi à faire pour eux. Il acquiesça ; son comportement envers moi était totalement dénué de rancune. J'aurais dû deviner qu'il en serait ainsi, mais il semblait si peu atteint par l'iniquité dont grand-mère avait fait preuve envers lui que je ne pus m'empêcher de demander avec embarras :

— Aviez-vous l'intention de quitter le manoir ?

— Oui... En fait, je n'ai pas exactement été renvoyé, vous savez !

Il souriait, comme si l'évocation de cet épisode humiliant lui procurait un souvenir agréable. Il désigna les collines qui se nimbaient de mauve à l'approche du crépuscule ; la brise printanière était fraîche et suave.

— En vérité, je ne voulais pas... Personne ne peut abandonner Barmote de gaieté de cœur, mais ce poste de palefrenier ne représentait pour moi qu'une étape.

Je fus non seulement rassurée mais ravie.

— Alors, ce départ ne vous a pas peiné ?

Il hésita...

— Certaines choses me manquent, mais j'étais plutôt content d'avoir présenté ma démission avant que la vieille dame prenne l'initiative de me jeter dehors !

Les mots étaient irrespectueux mais prononcés avec un tel humour que je n'en pris pas ombrage.

— Avec tout le respect que je vous dois, mademoiselle, ce n'est pas une sinécure de travailler pour les Jasmyn !

Il remonta le seau : il était vide.

— Je présume qu'ils ont complètement asséché cette parcelle de terrain. Ils en ont pressé l'eau comme le jus d'un citron !

— Voulez-vous dire que le puits est complètement à sec ?

— C'est indéniable. Mais il y a plus grave. Ecoutez !...

Il ramassa un nouveau caillou. Nous prêtâmes l'oreille, nous regardant intensément tandis que la pierre rebondissait sur les caillasses au fond du puits avec un son mat, bien différent de l'éclaboussement attendu.

— Plus grave ? Que voulez-vous dire ?

— Voyez-vous ces tranchées, là-bas ?

Des bandes de terre retournée striaient le flanc de la colline, à l'emplacement où les ouvriers avaient commencé à drainer la voie carrossable.

— Ils ont dû modifier le cours d'eau d'une manière ou d'une autre, et, sans eau, Betony agonisera.

Ces paroles émises si simplement confirmaient la vague inquiétude que je commençais à éprouver.

— Vous nous blâmez, n'est-ce pas ? Vous pensez que cela nous est totalement indifférent ?

— Il est difficile de vous blâmer, mademoiselle... Vous êtes jeune et vous ne feriez pas de mal à une mouche. Mais je regrette simplement le Betony de jadis. De l'autre côté du pont, au bord de la rivière, mon arrière-grand-père possédait une petite fabrique de tabatières. C'est lui qui a fait construire certaines de ces chaumières pour ses ouvriers. Quant aux Wagstaff, ils étaient ferblantiers et tonneliers ; entre autres choses ils fabriquaient des seaux pour les puits. Il y avait également les Cade qui exploitaient la ferme. Il désigna la construction basse qui s'étendait sur notre gauche.

— Que leur est-il arrivé à tous ?

— Les Wagstaff sont encore là, ils labourent pour les Jasmyn. Les guerres avec la France ont eu raison de la fabrique de tabatières. Quant aux Cade, ils n'avaient pas suffisamment de terre pour payer leur fermage. C'est la vie : certains d'entre nous descendent la pente, tandis que d'autres la remontent...

Il ne l'avait pas spécifié, mais je savais que les Jasmyn avaient été les seuls à « remonter la pente » selon ses propres termes. Et je réalisai en même temps que grand-mère redoutait continuellement l'éventualité d'une faillite, aussi improbable fût-elle.

— C'est arrivé peu à peu, reprit Reuben. Mon arrière-grand-père a pris une hypothèque sur sa fabrique, une hypothèque qui lui a été imposée par le vôtre. Quand les Cade devaient vendre une parcelle de terrain pour joindre les deux bouts, c'était votre famille qui la rachetait ; il y a eu un procès concernant une concession, que les Jasmyn ont gagné. Ceux qui n'avaient pas d'argent en empruntaient, mais ils ne pouvaient jamais rembourser leurs dettes...

Je déclarai timidement :

— Il est question d'exploiter à nouveau la carrière. Peut-être cela procurera-t-il du travail aux hommes d'ici ?

— Et pour transporter le grès, il faudra une nouvelle route ou créer une voie de chemin de fer dans la vallée. Probablement les deux... En dix années d'exploitation, le pays sera dévasté !

Cette objection, qui ne m'était jamais venue à l'esprit, me troubla. Je me penchai et regardai le paysage découpé comme un portrait par l'encorbellement du puits ; des pentes verdoyantes, des bouquets de saules et le ruisseau moiré d'argent se dessinaient dans une brume légère qui en noyait les contours. Brusquement, un flot de paroles s'échappa de mes lèvres :

— Savez-vous ce qui s'est produit le jour de l'orage ? J'avais eu l'imprudence d'émettre un vœu, au bord de ce puits. C'était ridicule et enfantin, ce sont des choses qui ne se font pas quand on a un peu de bon sens, mais ça n'avait guère d'importance puisque mon vœu ne pouvait se réaliser. J'aspirais à devenir libre, à ne plus être une Jasmyn...

Je cherchai mon mouchoir, accablée et, en même temps, choquée par mon manque de loyauté. J'aurais dû avoir honte de pleurer en public, mais devant Reuben, c'était différent. Il déclara :

— Je ne suis pas étonné que vous souhaitiez être débarrassée de tout cela. Je n'aurais pas dû vous raconter toutes ces histoires. Elles vous ont bouleversée, et j'en suis confus.

Je ne pouvais plus contenir mes larmes. Elles ruisselèrent le long de mes joues tandis qu'il ajoutait :

— Je ne vous ai plus vue pleurer ainsi depuis le jour où nous avons enterré ce pauvre Lance.

L'évocation de ce malheureux chien augmenta encore mon chagrin ; je m'agenouillai, la tête appuyée sur la margelle, et laissai mes sanglots éclater sans retenue. Je croyais revoir Reuben tandis qu'il dressait les pierres du petit monument funéraire ; ses traits étaient empourprés par la colère, et le vent agi-

tait ses cheveux comme les herbes frémissantes parmi
lesquelles j'étais prostrée.

— Lance était si gentil, bredouillai-je. Si grand-
mère ne l'avait pas vu menacer les moutons, je n'y
aurais jamais cru ! Je l'aimais tant !

— Trop, beaucoup trop, souligna Reuben.

— Que voulez-vous dire ? Est-ce un tort d'aimer
aussi profondément un animal ?

Devant son silence, j'eus conscience d'avoir trop
extériorisé mes sentiments ; je demandai pour donner
le change :

— Où trouverez-vous l'eau nécessaire à madame
Bateman ?

— Je remplirai le seau à la source ; l'eau y est
meilleure mais difficile à capter. La seule chose que
les habitants de Betony ne doivent pas faire est de
consommer l'eau du ruisseau ; c'est pourtant ce qu'ils
vont faire, désormais : c'est plus près de chez eux.

Mon ignorance des biens que je détenais et des
problèmes qui en découlaient pour ceux qui vivaient
sur nos terres me laissa sans voix, mais un sens inné
du devoir m'obligea à suivre Reuben quand il se dirigea vers la colline. Je perçus le son cristallin de l'eau
qui s'échappait des rochers entourant la source et se
répandait dans un bassin peu profond pour se perdre
ensuite dans un tunnel invisible, à travers les hautes
herbes.

— Il faudrait une cruche ou un broc.

Je regardai Reuben incliner le seau dans tous les
sens sans trouver l'angle adéquat pour le remplir.

L'eau continuait à se disperser en dépit de ses efforts pour la maîtriser.

— Tant pis, je reviendrai.

— Mais, comment madame Bateman peut-elle se ravitailler ? L'eau se pollue dans la terrre et, même en cas de beau temps, ce doit être pénible de transporter un seau plein jusqu'à votre maison... C'est beaucoup trop !

— Je demanderai à Tim Wagstaff de s'en occuper. Mais, vous savez, soit dit sans chercher à vous blesser, monsieur Burnside aurait pu s'arranger pour canaliser l'eau vers chaque chaumière, s'il en avait reçu l'ordre. Et cela aurait coûté moins cher que de drainer la route, il me l'a dit lui-même.

Il m'expliqua que des conduits pouvaient transporter l'eau depuis la source, à condition de leur adjoindre un système de caissons pour régulariser la pression.

Le hameau s'étendait à nos pieds, et Reuben l'observait mélancoliquement. J'avais oublié ses critiques envers ma famille, consciente de la sympathie incontrôlable qui nous rapprochait. Auprès de lui, je n'éprouvais pas le besoin de me forcer à entretenir une conversation suivie. Je découvrais sur son visage la même compréhension apaisante qu'il m'avait toujours inspirée.

— Nous nous connaissons depuis si longtemps, Reuben...

Je cessai brusquement de parler. Ses traits familiers venaient de se métamorphoser, et j'avais l'impression de le découvrir sous son vrai jour. Il murmura lentement, comme pour lui-même :

— Le pire a été de vous quitter...

Un parterre de gentianes fleurissait à proximité de la source ; j'en fis un bouquet.

— Je vous obligeais à porter les fleurs que je cueillais. Vous deviez détester cela !

Pourtant je savais qu'il avait aimé cet esclavage. Une confiance aveugle, mêlée d'une joie instinctive, me poussa à fixer les fleurs à sa boutonnière :

— Voilà ! C'est ravissant, n'est-ce pas ?

Je crus revivre l'instant où il m'avait soulevée dans ses bras, et l'insouciance éperdue qui m'avait troublée tandis qu'il m'emportait à travers la campagne parfumée.

— Je ne vous ai pas dit ce qui s'était produit à la suite de mon vœu ?

— Cela n'a aucun sens d'émettre un vœu, ni de vouloir devenir différent de ce que nous sommes.

— Exactement, mais le plus grave est d'être punie à cause de ce vœu : au lieu de devenir libre comme je le souhaitais, je suis condamnée à devenir doublement une Jasmyn !

Ses traits s'altérèrent. Lui seul pouvait recueillir mes confidences. Je les lui devais :

— Je dois épouser mon cousin, Ashton Jasmyn.

Je retirai mon gant, les yeux fixés sur la bague offerte par Ashton :

— Tout est prévu, organisé. Tout a été décidé sans moi...

Il se garda de tout commentaire. Le charme était rompu.

Je lui fis mes adieux. Il se tenait encore immobile, près de la source, quand je disparus par la brèche, pour regagner la voûte sombre des grands arbres.

J'avais pris l'habitude d'emprunter le sentier cavalier pour éviter de rencontrer Mme Masson. Pour une fois, j'avais de la chance : elle demeurait invisible. Peut-être m'observait-elle de derrière l'une des fenêtres du pavillon. Aussi éprouvai-je un choc en la découvrant occupée à servir le thé, dans le boudoir. Elle m'accueillit avec son éternel sourire.

— J'ai pris votre place...

Elle se pencha pour remettre sur les épaules de grand-mère le châle qui en avait glissé, et me tendit une tasse de thé.

— Vous êtes resplendissante ! Avez-vous fait une promenade agréable ?

— Trés agréable, je vous remercie.

Les visites de Mme Masson n'avaient rien d'inhabituel. En fait, elle venait presque tous les jours. Si grand-mère gardait la chambre, elle se contentait de ma compagnie. Et, si j'étais absente, elle laissait une carte de visite et revenait le lendemain.

— J'ai dit à madame Masson à quel point nous étions satisfaites de madame Ballard, déclara grand-mère.

— C'est un fait, elle travaille admirablement ! s'écria notre locataire en jetant un regard sur ma robe

verte, soutachée de velours noir. Je serais heureuse
d'avoir son adresse.

En matière vestimentaire, nous avions des goûts
communs. Mais, tandis que je m'attardais avec une
attention admirative sur son ensemble beige, j'avais la
nette impression qu'elle ne cessait d'observer non pas
ma robe mais mon comportement. Un malaise gran-
dissant s'insinuait en moi, comme chaque fois que je
me trouvais en sa présence. Sa sollicitude, son affabi-
lité constante me procuraient une gêne indéfinissable,
et l'intérêt chaleureux qu'elle me portait en dépit de
mes réticences m'avait toujours mise sur la défensive.

Je détournai mon regard sur grand-mère. Tassée
dans son fauteuil, elle avait fermé les yeux, et son
apparence pitoyable ravivait ma tendresse. Elle n'était
plus désormais la maîtresse incontestée du manoir,
pas plus que je n'étais sa petite fille soumise.

Mon regard se reporta sur notre visiteuse. Elle
observait avec un intérêt non dissimulé la pendule qui
trônait sur la cheminée. C'était un objet raffiné, en
noyer orné de sujets en argent. J'éprouvai soudain
l'envie absurde de l'emporter pour la soustraire à sa
curiosité. Grand-mère eut un sursaut coupable :

— Avant ton arrivée, Tessa, madame Masson
disait qu'elle aimerait beaucoup visiter notre
demeure.

— Mais Tessa est lasse, intervint Mme Masson
avec une douceur telle qu'elle m'imposa l'obligation
de la démentir pour ne pas me montrer impolie.

Je l'invitai donc à me suivre. Elle jugea la gale-

rie impressionnante et eut des difficultés à s'arracher
à la contemplation de la table surchargée de bronzes
et de délicates statuettes de terre cuite. Elle observa
avec un intérêt fasciné chacun des portraits. La visite
du salon aménagé dans la loggia, avec ses lourds
miroirs biseautés et ses chaises recouvertes de brocart,
l'occupa pendant une dizaine de minutes.

— Ceci est surprenant et rarissime..., commenta-
t-elle.

Il s'agissait d'un siège indien, en laque précieuse
rehaussée de festons rouges et de franges parsemées
de pompons et de pendeloques dorés ; les pieds
avaient la forme de sabots. J'avais souvent imaginé
qu'un jour, ils se mettraient à piaffer et s'élanceraient
au grand galop !

— Comme c'est curieux..., reprit Mme Masson.

— Je crains que vous ne trouviez la bibliothèque
glaciale : elle est située dans la tour.

Elle eut un geste de dénégation : n'avait-elle pas
son manteau, son chapeau et ses gants ? Je dus aller
chercher un châle dans ma chambre. Elle attendit
devant ma porte, avec un hochement de tête appécia-
teur à la vue de chaque meuble. Que l'on pût prendre
un plaisir aussi manifeste devant le spectacle des biens
d'autrui me déconcertait. Je parcourus rapidement le
corridor obscur, ouvris la porte capitonnée et intro-
duisis la visiteuse dans la bibliothèque, une salle en
forme de rotonde éclairée sur trois côtés par d'étroites
fenêtres à ogives.

— Personne ne vient dans cette pièce : il y règne un tel froid !

Mes dents claquaient ; ici, le vent triomphait, prenait possession des lieux avec rage. Par contraste avec ses miaulements insidieux, nos propos semblaient particulièrement guindés. Nullement intimidée, elle inspecta les vastes rayonnages, feuilleta un livre ou deux et admira le cabinet d'ivoire sculpté.

— Mon arrière-grand-père a ajouté cette tour en 1805, précisai-je.

— Quand il est revenu des Indes, sans doute...

Ce n'était pas une question ; Mme Masson semblait connaître à la perfection l'histoire de notre famille. J'attendis pendant qu'elle regardait à travers chaque fenêtre, me croyant obligée d'affecter une grande fierté envers cet endroit imposant.

— Les Jasmyn étaient des gens très simples, commençai-je sans comprendre vraiment la raison qui me faisait prononcer ces mots, jusqu'à ce que mon arrière-grand-père fasse fortune. C'étaient de petits propriétaires très à l'aise, sans plus.

Si ma voix exprimait une sorte de regret, Mme Masson ne parut pas le remarquer. En me retournant, je la vis jouer avec la poignée d'un des tiroirs du bureau.

— Maintenant, constata-t-elle en s'éloignant, les choses ont changé : c'est un héritage fabuleux, pas seulement le manoir mais aussi les terres...

Ses yeux se portèrent sur mon annulaire gauche :

— Ces fiançailles doivent vous enchanter ! Ce

projet est en tout point parfait... Madame Jasmyn
m'a dit qu'elle était ravie.

Je crus nécessaire de préciser :

— Grâce à cette union, le nom des Jasmyn
demeurera à Barmote.

— Certes, vous resterez une Jasmyn. J'ai cru
comprendre que vous n'aviez pas d'autre parent proche. Mais vous êtes si jeune pour vous marier ! Ce
seront de longues fiançailles ?

— Oui, très longues.

— Madame Jasmyn est loin de bien se porter.
Vous devez être terriblement angoissée à son sujet ?

— Elle va beaucoup mieux...

Je refermai la porte capitonnée, soulagée de
retrouver la tiédeur relative de la maison et achevai :

— Elle est très solide mais dans son état, les émotions sont dangereuses...

— Les émotions ? Oui, bien sûr, cela peut-être
dangereux... Un choc soudain, par exemple... Et sa
disparition — car, malheureusement, on doit se préparer à de tels événements — vous laissera tout à fait
seule. Enfin, maintenant il y a votre fiancé.

Elle m'engagea à passer la première dans l'escalier
pendant qu'elle relevait soigneusement les plis de sa
jupe.

— Nous menons une existence paisible, je ne vois
pas ce qui pourrait la contrarier ou l'énerver ; nous ne
voyons personne.

Elle ne répondit pas. Je me retournai : Mme Masson ne m'avait pas suivie. Elle était restée dans la galerie, plantée devant le portrait de Rodney Jasmyn.

Je haussai le ton :

— Barmote n'est pas un endroit exaltant.

Elle posa sa main gantée sur le rebord de la balustrade et descendit une marche avant de rétorquer avec désinvolture :

— Oh ! cela dépend pour qui. Ma fille Kate par exemple serait sûrement enchantée d'y venir.

— Vous avez une fille, madame Masson ?

J'étais stupéfaite ; elle m'avait toujours paru si solitaire !

— Oui. Une jeune fille ravissante.

Elle inclina gracieusement la tête, son regard trahissait soudain une grande tendresse.

— Je serais heureuse de faire sa connaissance ! assurai-je poliment. Vit-elle loin d'ici ?

— Elle mène une vie trop solitaire, trop cloîtrée. Vous-même avez eu une chance incroyable de trouver un époux à votre porte, dans un lieu aussi retiré ! Oui, une chance et un bonheur miraculeux, exceptionnels...

Elle prit gracieusement congé. En vérité, l'impression que produisait sur moi Mme Masson venait de s'améliorer considérablement ; pourtant, je ne parvenais pas encore à la comprendre et à la situer.

CHAPITRE IV

Grand-mère appréciait de plus en plus la compagnie de Mme Masson. Quant à moi, je m'habituais peu à peu à ses fréquentes visites. D'ailleurs, nous avions des devoirs envers elle, eu égard à sa qualité de locataire et de voisine ; le manoir était son seul point de chute, son unique prétexte à promenade.

Je ne pouvais la voir traverser le parc sans éprouver un malaise. Amoindrie par la distance, elle apparaissait soudain, silhouette gracile qui grandissait, au fur et à mesure qu'elle approchait et que l'on distinguait sa toilette, sa chevelure châtain clair, surmontée d'un chapeau, à la dernière mode, qui protégeait la pâleur délicate de sa peau nacrée. Il suffisait qu'elle pénétrât dans la salle d'apparat pour l'imprégner de sa personnalité, à un point tel que les ornements rehaussés d'or et d'argent, les tapis précieux, les épées et les gongs paraissaient soudain se flétrir. Et cette étrange impression contribuait à me mettre mal à l'aise devant elle.

Emma se tenait dans le couloir, portant un plateau chargé d'un verre et d'une carafe de vin.

— Mademoiselle, j'aimerais bien savoir ou j'en suis... J'ai toujours eu l'habitude de recevoir des ordres de Madame ou de vous-même, ou de l'infirmière, mais en ce qui concerne madame Masson, j'ignore comment agir...

— Ma grand-mère a toute confiance en madame Masson, précisai-je avec tact.

— C'est bien possible, mais c'est la première fois que j'entends parler de vin vieux comme remède. Le docteur a bien précisé, pour la malade : du gruau, du lait chaud et de l'eau avec les gouttes, en cas d'urgence...

Elle hésita avant de poursuivre :

— C'est excellent pour vous, mademoiselle, d'avoir un peu de temps pour respirer le bon air. C'est également l'opinion de monsieur Steadman. Mais quand vous n'êtes pas là, il y a un grand vide dans la maison, et je ne sais plus quoi faire quand je reçois certains ordres...

Elle me suivit dans le boudoir et demanda, en s'adressant sciemment à grand-mère :

— Madame aura-t-elle besoin d'autre chose ?

Madame Masson ne parut pas remarquer l'allusion, tout son intérêt était fixé sur moi. Comme d'habitude, ce comportement insolite m'embarrasa. Je me dirigeai maladroitement vers ma chaise, tout en remarquant que les meubles avaient été placés différemment : ma chaise basse avait été transportée à bonne distance du fauteuil de mon aïeule. A présent, je lui faisais face par-delà le tapis placé devant l'âtre, et Mme Masson siégeait entre nous. J'avais dû interrompre l'une de leurs interminables discussions sur notre famille : grand-mère, dont c'était le sujet de conversation favori, avait initié sa locataire au culte sacro-saint des Jasmyn. Il y avait quelque chose d'agaçant dans le plaisir qu'elles prenaient à explorer l'histoire de nos ancêtres et à passer en revue leurs biens tandis que, condamnée à supporter ce fardeau jusqu'à la tombe, je les écoutais en silence.

— Madame Masson estime que mon état s'améliorerait si je buvais de temps à autre un verre de vin vieux, Tessa.

Je répliquai sèchement :

— Il faudrait demander l'avis du docteur Almore avant d'apporter le moindre changement à votre régime.

Madame Masson esquissa une moue de surprise incrédule devant ma fermeté inhabituelle ; sans doute ignorait-elle ma féroce détermination à maintenir grand-mère en vie. Elle tendit le verre de vin à la malade qui le but, sans l'ombre d'un scrupule.

Apparemment, le vin ne fit aucun mal à grand-mère ; elle se redressa, moins pitoyable tout à coup. Contrite, je levai les yeux vers Mme Masson et entamai alors une conversation sur le thème capable de détourner de moi sa vigilance : sa fille Kate. Etant donné nos âges à peu près identiques, les comparaisons étaient inévitables. Il était indéniable, d'après ses dires, que sa fille m'était infiniment supérieure, en tous les domaines. Elle avait eu les meilleurs professeurs de musique et de dessin, connaissait la France, l'Allemagne, et l'Italie... Présentement, elle se trouvait en Suisse. Dans le coûteux collège où elle avait étudié, elle s'était fait de nombreuses amies, des relations éminemment flatteuses qui évoluaient dans la haute société internationale et l'invitaient régulièrement chez elles.

Je fus soulagée d'apprendre que l'incomparable Kate ne prévoyait pas de rendre visite à sa mère dans l'immédiat. Cette inconnue me fascinait et m'effrayait tout à la fois.

Il était évident que Mme Masson formait de grands projets, non seulement pour sa fille, dont l'instruction, fondamentalement différente de celle que j'avais reçue, constituait un placement fructueux sur l'avenir, mais également pour satisfaire ses ambitions secrètes. Je ne me rappelle plus quand ou pourquoi il me vint soudain à l'esprit que chaque parole prononcée par notre locataire répondait à un plan soigneusement établi. Je ne savais pas exactement où elle voulait en venir, mais j'avais acquis la conviction qu'elle ne laissait jamais rien au hasard, du plus petit bouton de sa tunique, choisi avec un soin extrême, jusqu'aux galons finement passementés qui soutachaient ses gracieuses bottines de soie dorée.

Quand grand-mère m'envoya chercher à la bibliothèque des cartes de Barmote et de Betony datant du XVIIIe siècle, l'intérêt de Mme Masson ne fut pas uniquement provoqué par une politesse élémentaire. Elle sortit de son réticule un face-à-main à monture d'or, retenu par un ruban de velours, et examina les cartes avec un soin zélé. Je m'étonnai moins de l'intérêt qu'elle manifesta envers les bijoux choisis parmi les plus modestes, que mon aïeule, eut le caprice de lui montrer un autre jour.

— Voici mon préféré, dis-je en désignant un sautoir en or massif agrémenté d'un pendentif en forme de demi-lune.

Madame Masson secoua la tête et objecta :

— Ce joyau est lourd pour vous ! Il y a là plusieurs pièces qui conviendraient davantage à votre jeunesse : ces perles, par exemple. Essayez-les. Dégrafez votre col...

Nous nous tenions devant le miroir placé au-dessus de la cheminée. La vue inhabituelle et le contact des perles sur mon cou me procuraient une impression bizarre. Grand-mère fit un signe approbateur. Avant sa maladie elle m'aurait volontiers reproché ma frivolité, mais elle avait changé. Le regard de Mme Masson fixé sur les perles, trahissait une telle avidité que je les enlevai aussitôt. Elle prit un plaisir amusé à mettre de côté les fins colliers et les boucles d'oreilles légères qui convenaient le mieux à une jeune fille, et ajouta :

— Bien entendu, les joyaux les plus lourds pourraient être transformés !

Nous les rangeâmes dans leurs compartiments.

— C'est vraiment une très jolie dot, madame

Jasmyn, plus séduisante même que certaines pierres dites précieuses...

Cette remarque était formulée avec une exquise politesse, sans nulle intention péjorative, semblait-il, mais elle fit rougir mon aïeule.

— Les pierres de très grande valeur sont à l'abri. Il y a une limite à ce qui peut être conservé dans une maison isolée ! Je dois avouer que la perte du rubis m'a toujours affligée ; c'était un bijou d'une grande beauté. Il a disparu aux Indes. Je sais qui est responsable de sa disparition... Mais je déteste en parler !

Depuis sa maladie, ses manières étaient devenues moins réservées. Sa rancœur venimeuse, lorsqu'elle faisait allusion au rubis, et surtout à ma mère, suggérait un jugement féroce et sans appel.

Après avoir rangé les écrins, j'accompagnai Mme Masson dans l'allée et précisai :

— Le rubis avait été offert à ma mère.

— Vous ne vous souvenez pas d'elle ?

— Non. Je n'ai aucun souvenir d'elle ou des Indes : je n'étais qu'un bébé... C'est pourquoi je vous envie tant, vous et Kate : vous vivez l'une pour l'autre...

La moindre allusion à sa fille lui allait droit au cœur.

— Mais madame Jasmyn et vous avez toujours été très proches l'une de l'autre...

— C'est différent : une mère et sa fille sont beaucoup plus liées qu'une petite-fille et son aïeule...

Je venais encore de manquer de loyauté envers

grand-mère, et cette pensée me culpabilisa une fois de plus.

Lorsque Mme Masson reprit la parole, sa voix était empreinte d'une gravité inhabituelle :

— Il n'y a rien au monde qu'une mère ne puisse risquer pour sa fille : n'importe quelle peine doit être acceptée, endurée jusqu'au sacrifice si cela doit contribuer au bien-être de son enfant.

La solitude infinie dans laquelle j'avais toujours vécu, la jalousie irrépressible que j'éprouvais envers Kate me poussèrent à dire :

— Je me demande si ma propre mère éprouvait cette affection passionnée pour moi. Elle m'a si peu connue...

— Elle devait avoir envers vous les mêmes sentiments que j'ai envers Katy.

— J'aurais souhaité conserver au moins un souvenir d'elle...

Jusqu'à cet instant, je n'avais jamais pris conscience de ce désir inassouvi. Il m'apparaissait soudain que, en dépit de ses erreurs, j'aurais aimé connaître ma mère, savoir à quoi elle ressemblait. Comme une immense vague de fond, le temps l'avait emportée dans les profondeurs d'un oubli insondable...

Une longue période devait s'écouler avant que je discerne la nature et l'étendue de l'influence de Mme Masson, mais entre-temps, elle avait orienté mon existence dans une nouvelle direction. Sans sa présence, je n'aurais sans doute jamais éprouvé le besoin de savoir qui avait été ma mère. A présent qu'elle assumait ce

rôle inattendu de mère d'une jeune fille avec laquelle
je pouvais être comparée, il m'était difficile de ne pas
faire référence à ma propre mère. On me l'avait toujours dépeinte comme un être faible, voire vulgaire, et
je me rendais compte, soudain, que je n'avais aucune
part dans ce jugement. Les lettres, qui m'auraient
fourni des détails sur sa véritable personnalité, avaient
été détruites, et j'en éprouvais un malaise mêlé de rancune. Pour que grand-mère eût jugé utile de les brû-
ler, elles devaient certainement recéler quelque chose
de honteux et de méprisable qu'il me fallait à tout prix
ignorer.

Un soir, n'y tenant plus, je pris la liberté de l'inter-
roger :

— Grand-mère, avez-vous répondu au colonel
Darlington ?

Devant son mutisme, je compris qu'elle avait
oublié la lettre et j'allai la chercher dans le casier du
courrier en instance. Elle relut la lettre et conclut :

— Il demande à me rendre visite, et mon silence
doit lui donner à penser que je suis très discourtoise,
mais je préfère ne pas évoquer ces relations avec les
Indes. Ces souvenirs pénibles ravivent encore une
peine insupportable.

J'hésitai, partagée entre la crainte de l'irriter et le
désir d'en savoir davantage.

— Peut- être puis-je me charger de lui répondre
en lui expliquant votre maladie ? suggérai-je enfin.

— Certainement. Dis-lui que nous serons heureuses de le recevoir quand j'aurai repris quelques forces, l'été prochain peut-être...

Je rédigeai la lettre et la lui montrai, en m'abstenant de lui faire lire le post-scriptum ajouté de ma propre initiative :

Je vous en supplie, colonel Darlington, voudriez-vous me communiquer des détails sur ma pauvre mère ? J'aimerais tellement essayer de la connaître un peu...

Choquée par mon intrépidité et mon esprit de dissimulation, je m'empressai d'expédier la missive. Ensuite seulement, je trouvai le temps de me demander par quel subtil changement elle était devenue ma « pauvre » mère. Etait-ce parce qu'elle avait également épousé un Jasmyn ? Ce fut peut-être cet appel au secours qui décida le colonel Darlington à me répondre personnellement par retour du courrier.

Ainsi, vous êtes la petite Tessa ! écrivait-il. *Je pensais que vous portiez le même prénom que votre mère. Vos parents étaient et demeureront à jamais des amis sincères qui ont pris en pitié le célibataire solitaire que j'étais. J'ai été leur invité à Simla et, plus tard, j'ai rencontré brièvement votre mère à Lucknow. Elle avait la réputation de posséder un courage exemplaire lors des épreuves auxquelles elle a été confrontée. Lui ressemblez-vous ? C'était une créature radieuse, énergique et gaie. Il y a beaucoup de choses qu'il m'est difficile de vous narrer par écrit mais j'attends impatiemment l'occasion de vous en faire part de vive voix,*

quand il conviendra à madame Jasmyn de me rece-
voir. »

Naturellement, le jugement du colonel sur ma
mère était nettement plus favorable que celui de
grand-mère. Il se montrait loyal envers ses amis disparus, et j'appréciais à sa juste valeur cette fidélité. Sans
doute s'abusait-il lui-même en sublimant ses souvenirs, mais au lieu de le discréditer, cela le rendait
encore plus sympathique à mes yeux. Il n'avait pas
remarqué le caractère superficiel et le manque de
classe qui rendaient ma pauvre mère incapable d'assumer les devoirs imposés à l'épouse d'un homme de
haute naissance qui serait un jour à la tête d'une
énorme fortune...

Etais-je semblable à elle ? Aidée par ma soumission aveugle, grand-mère avait travaillé et travaillait
encore à prouver le contraire : la gaieté radieuse
n'était pas une qualité tellement appréciée à Barmote.
Il m'était pénible d'observer le délai de deux semaines
imposé par une élémentaire politesse avant de répondre au colonel, aussi lui envoyai-je immédiatement un
nouvel appel. Il répondit avec une égale promptitude.
Cette correspondance apportait à ma morne existence
un parfum de mystère. De son côté, le colonel appréciait d'autant plus cet échange de correspondance
qu'il menait une existence limitée, étant confiné par
son mauvais état de santé dans une maison trop vaste
pour lui...

« *Votre père a connu une mort héroïque,* écrivait-
il. *Il m'est malheureusement impossible de vous préci-*

ser les circonstances de la disparition de votre mère.
Je sais simplement que l'ennemi avait fait exploser
une mine. Quand nous avons été relevés, le 17 octobre
(je viens de consulter le journal de l'époque que j'ai
conservé), je suis revenu à la résidence et j'ai eu la
douleur d'apprendre que votre mère était morte et
avait été ensevelie le jour même de son décès, ainsi
que les conditions épidémiques l'imposaient. Il y avait
tant de tombes hâtivement creusées et privées d'épita-
phes qu'il m'a été malheureusement impossible de lui
rendre mes derniers devoirs...

Cette lecture m'attrista et me bouleversa par ses
imprécisions.

...Pendant toutes ces années, j'ai formé le souhait
de faire votre connaissance... C'était comme un der-
nier devoir que je tenais à lui rendre à titre posthume.
Je l'ai remis sans cesse en question par suite de mon
mauvais état de santé. J'aurais voulu apporter mon
aide à votre nourrice, une excellente femme, Susan ou
Sarah, j'ai oublié. Elle était également veuve, la mal-
heureuse, et avait également un enfant en bas âge,
mais elle possédait une remarquable force de carac-
tère : elle a choisi de revenir au pays natal par mer
plutôt que d'entreprendre le voyage par la route, plus
rapide, mais qui eût risqué de compromettre votre
santé, par trop fragile... Je n'ai pu que prévenir
madame Jasmyn par lettre de ce que je savais.

Cette lettre n'était sûrement pas parvenue à sa des-
tinataire puisque grand-mère ne l'avait jamais men-
tionnée. Je rassemblai le courrier envoyé par le colo-

nel et pris place à ma fenêtre, réfléchissant avec intensité aux bribes de renseignements qui émergeaient de mon passé.

Les arbres, teintés de l'or flamboyant du crépuscule, étaient figés dans une immobilité statique qu'aucun souffle de vent ne semblait pouvoir altérer. Il y eut un mouvement brusque, les corbeaux s'envolèrent en un nuage désordonné, et Mme Masson apparut. Les oiseaux se dispersèrent en croassant ; sa venue les dérangeait autant qu'elle m'importunait...

Je m'apprêtais à regagner le manoir quand j'aperçus Reuben à l'entrée du cimetière.

— Il fallait que je vous voie, dit-il en se dirigeant vers moi.

Nous nous rejoignîmes sous le porche. Malgré la demi-pénombre, je remarquai son changement d'aspect.

— Je me suis sauvée pour éviter madame Masson.

— Au manoir, on m'a dit que vous étiez partie vous promener. Je vous ai vue entrer dans l'église...

J'avais perdu la notion du temps écoulé depuis notre dernière rencontre, tant nous avions changé l'un et l'autre. Mais la distance qui nous avait séparés venait d'être franchie ; d'ailleurs, je me demandais si elle avait vraiment existé... Nous étions seuls dans un monde protégé, limité par le toit de chaume du porche du sanctuaire. La musique nous parvenait par bribes légères.

— C'est joli, n'est-ce pas ? Steadman m'a dit que cette année il y avait un orgue à soufflets.

L'instant du bonheur intense que je venais de vivre s'estompa brutalement quand il déclara :

— Je vais partir pour Londres ; je voulais vous revoir avant mon départ.

— Vous partez pour... pour longtemps ?

Nous étions si proches qu'une séparation éventuelle me semblait aussi lointaine que la mort. Pourtant la gravité de ses propos nous fit baisser la voix, comme deux conspirateurs qui se concertent dans un endroit dangereux.

— Je vais étudier ! déclara-t-il avec un mélange d'orgueil et de désespoir. Monsieur Constantine, mon patron, a décidé de me venir en aide. Il m'a fait engager à l'Hôpital royal. Je veux devenir docteur en médecine et revenir exercer ici, plus tard. D'autres que moi ont réussi, en partant d'aussi bas.

Il exposait les faits sans conviction, comme s'il faisait allusion à des événements trop lointains pour être pris en considération. Puis sa voix s'éteignit. L'orgue cessa au même moment de jouer, et le silence nous enveloppa.

— Cela prendra des années..., précisa-t-il.

— Des années ? Combien ?

— Je ne sais pas... Au moins sept, je suis si ignorant ! Mais c'est la chance que j'attendais sans y croire vraiment. Mère et moi en parlions souvent. Et, maintenant qu'elle se présente enfin, je suis aussi misérable que si je gisais dans l'une de ses tombes !

— Pourquoi ? C'est la fin de vos soucis...

J'avais posé la main sur la poignée de la porte.

— Je vous en prie, ne partez pas encore ! se récria-t-il. Je n'aurai pas une seconde chance de pouvoir vous parler... C'est pour vous que je veux améliorer ma condition. Bien sûr, peu vous importe, mais, en cherchant à me surpasser, je me sentirai plus proche de vous.

— A votre retour, je serai probablement mariée.

Je poussai le portail et m'engageai sur le sentier. Les haies foisonnaient d'églantine et de chèvrefeuille.

Nous marchâmes lentement, insouciants du chemin à parcourir et du temps qui s'écoulait inexorablement.

— Ne pourrions-nous... Vous rappelez-vous ce que j'ai dit au sujet du puits ? demanda soudain mon compagnon.

— Oui : qu'il n'y avait aucun sens à vouloir devenir différent.

— Je me croyais très malin et, à présent, je ne souhaite qu'une chose : être quelqu'un d'autre !

— Cela ne changerait rien... Je suis destinée à mon cousin Ashton et même si je n'avais pas fait ce serment, je ne vois pas comment...

Comme par magie, la façade du manoir venait de surgir devant nous.

Il ouvrit la grille.

— Reuben, aimeriez-vous que je rende visite à votre mère en votre absence ? Pensez-vous qu'elle en serait heureuse ?

— Si vous pouvez aller la voir de temps à autre jusqu'à ce que je l'envoie chercher, je vous en serai très reconnaissant.

— Bonne chance, Reuben !

— Mademoiselle Tessa, j'espère que vous serez heureuse... Je n'aurais pas dû vous parler comme je l'ai fait, mais c'était plus fort que moi !

Il tourna brusquement les talons, et, tel un automate, je poursuivis mon chemin sans oser me retourner.

A chacun de mes pas, le ciel paraissait se rétrécir tandis que la maison grandissait au point de masquer les étoiles et les arbres. Parce que j'avais respiré avec volupté le parfum subtil des roses et du chèvrefeuille, les relents de moisissure de toutes les vieilles choses amoncelées me frappèrent particulièrement.

Dans l'âtre, les flammes mouvantes changeaient sans cesse de forme mais elles avaient perdu leur pouvoir ; elles ne m'inspiraient plus la frayeur de jadis. A présent, plus rien ne pouvait me faire peur. Que pouvait-il m'arriver de pire que d'avoir reconnu dans les traits de Reuben l'amour qu'auraient dû m'inspirer ceux de mon cousin ?

Chassant avec force ces idées de mon esprit, j'entrai dans la chambre de grand-mère. Elle était étendue, les yeux clos, immobile dans la lueur fugitive des chandeliers. Je m'approchai lentement, avec une appréhension instinctive : elle respirait doucement, elle vivait toujours !

CHAPITRE V

Nous nous étions dit adieu, et pourtant, j'avais la certitude que Reuben m'attendait près du portail ou au détour du chemin cavalier. L'air était chaud. L'herbe bougeait imperceptiblement près de la haie, à l'endroit même où j'avais attendu dans l'angoisse le coup de feu qui allait tuer mon épagneul.

Reuben était bien là. Dès qu'il me vit, il fouilla dans sa poche :

— Je vous ai apporté un souvenir ; il n'a rien d'irrespectueux, et même madame Jasmyn ne trouverait pas à y redire...

Il souriait en me tendant une minuscule poterie représentant un gentilhomme à la chevelure sombre et à la moustache conquérante, qui présentait une vague ressemblance avec feu le prince consort.

— Est-ce que cela vous plaît ?

J'inclinai la tête, manipulant le fragile biscuit avec l'impression qu'il représentait tout ce que je possédais et posséderais à jamais.

Le lendemain, le temps se détériora. Un ciel bas,

chargé de nuées moutonneuses, s'installa au-dessus
du domaine. Confinée dans les pièces lugubres du
manoir, je me morfondais. Mais le mauvais temps
avait au moins le mérite de m'épargner les visites de
Mme Masson !

A la fin de la semaine, le retour d'une température
estivale m'apporta une vague délivrance. Je flânai sur
les chemins forestiers, enjambant les flaques d'eau
semblables à des miroirs. Tout à coup, une silhouette
imprécise émergea de la brume, telle une apparition
magique. Ma conviction première fut qu'elle représentait tout ce que j'aurais voulu être et ne serais
jamais. Elle se tenait à l'orée du petit bois, devant un
chevalet et peignait avec une ampleur de gestes qui
dévoilait une forte personnalité. En m'apercevant,
elle cessa de peindre et m'adressa un sourire chaleureux.

— Je vous ai vue surgir sur le perron. J'aurais
voulu que vous restiez immobile : il manque à ce paysage un élément humain.

Elle s'avança vers moi :

— Permettez-moi de me présenter : je suis Kate
Masson, et vous êtes évidemment mademoiselle
Jasmyn ?

Sa façon directe de tendre la main exprimait une
parfaite confiance en soi, comme si elle m'avait
accueillie sur ses propres terres.

— Je ne savais pas que vous étiez arrivée, dis-je
aussi naturellement que je le pus.

Elle fit un geste en direction de la terrasse :

— C'est curieux, je n'arrive pas à saisir le rapport entre vous et ce décor, comme si vous étiez deux éléments distincts, sans relation évidente...

Le manoir était fidèlement reproduit : les deux piliers dressés comme des sentinelles, les rochers hostiles, l'ombre menaçante de la tour. Je suggérai :

— C'est à cause de l'aspect de la maison sans doute... Vous pensiez probablement qu'il s'agissait d'une ferme banale ?

Je fus surprise de la voir réprimer un sourire amusé :

— Certes, elle n'est pas banale ! Mais pour quelle raison ai-je imaginé ces ombres interminables qui ressemblent à des tentacules ?

— Ce sont les arbres...

— La lumière change constamment dans ce pays. Les teintes sont atténuées...

Elle considéra l'œuvre inachevée avec une insatisfaction mêlée de colère :

— Je vais tout recommencer !

— Non ! je trouve ce tableau très réussi et, si vous n'avez pas l'intention de le conserver, j'aimerais que vous me la donniez.

Elle essuya minutieusement ses pinceaux.

— C'est vrai ? J'aurais pourtant souhaité vous offrir quelque chose de plus réussi, pour célébrer notre première rencontre. J'espère que nous apprendrons à mieux nous connaître !

— Avec joie.

— Quand je vous ai vue apparaître sur ce seuil

obscur, si pâle dans votre robe verte, j'ai pensé que vous cherchiez à vous enfuir.

— C'est le cas. Il y a trois jours que je suis enfermée, à cause de la pluie !

Elle avait perçu, en un instant, ce que j'avais mis des années à découvrir. Je la regardais ranger ses pinceaux avec une joie naïve quand je réalisai que nous n'étions plus seules : Mme Masson était postée près du vieux chêne, au bout du sentier. Elle me sourit et inclina légèrement la tête. Comparée à sa fille, elle semblait sans vie. Ses yeux nous fixaient tour à tour avec une intensité décuplée, comme si, après avoir évalué nos différences de caractère, elle avait la faculté d'apprécier nos mérites physiques. Elle frissonna, eut un mot d'excuse et s'éloigna tandis que Kate murmurait :

— Mère est souffrante : une sorte de fièvre chronique dont elle souffre depuis longtemps, par intermittence.

Je l'accompagnai jusqu'au pavillon, heureuse d'avoir rencontré une compagne de mon âge.

Entre nous, le premier contact avait été aisé, empreint de sympathie. Et, en dépit du malaise qui persistait en moi, cette impression se renforça au cours des jours suivants. Auprès de Kate, j'avais la possibilité de m'exprimer, sans réprimer les élans de mon caractère juvénile. Elle riait avec indulgence quand je lui expliquais que j'aurais voulu voyager, faire de la pâtisserie, aller à la fête foraine... De son côté, elle me faisait des confidences... en m'expliquant qu'elle avait agi contre la volonté de sa mère en regagnant Barmote.

— Elle ne comprend pas que je puisse être heureuse de me retrouver ici. C'est notre foyer, après tout...

— Sans doute juge-t-elle cet endroit sinistre ?

— Au contraire. Il semble que cet endroit exerce sur elle une sorte de fascination. Elle déteste la ville... A dire vrai, elle m'a consacré son existence... J'étais une enfant très fragile, condamnée par les sommités médicales. Le plus léger malaise la mettait en transes. Même encore maintenant, quand j'ai une migraine bénigne, elle se comporte comme si j'étais à l'agonie !

— C'est la même chose pour moi : grand-mère n'a que moi...

— Mais vous allez vous marier bientôt, n'est-ce pas ? rétorqua-t-elle. Je suis certaine que monsieur Jasmyn a hâte de vous épouser !

— Tant que grand-mère sera en vie, ce mariage ne sera pas célébré.

J'aurai aimé changer de sujet de conversation, d'autant plus que Mme Masson venait de nous rejoindre. Kate eut une exclamation incrédule :

— Je ne comprends pas... Pourquoi attendre si longemps ?

Je cherchai une réponse intelligente mais je n'en trouvai pas et bredouillai lamentablement :

— Grand-mère estime que c'est préférable ainsi.

Cela ressemblait à un mensonge. J'étais consciente de la pitié que j'inspirais à Kate. Quant à Mme Masson, son attitude ne révélait rien de ses pensées, et son regard demeurait indéchiffrable.

Peu de temps après l'arrivée de Kate, Ashton nous rendit visite. Il se montra nettement moins affable et se permit des commentaires sur notre mode de vie :

— Vous vivez comme des pauvres ! déclara-t-il. Cette demeure est aussi confortable qu'un couvent transformé en musée !

Il avait pris ombrage, aussi, de la présence fréquente de Kate.

— Bien entendu, madame Masson et sa fille n'ont fait l'objet d'aucun scandale, me précisa-t-il, mais leurs origines sont tellement imprécises que les dames de la bonne société en font leur sujet favori. C'est curieux... Quand une amie commune a évoqué Barmote, madame Masson a aussitôt demandé s'il s'agissait du domaine des Jasmyn. Et, dès le lendemain, elle a demandé l'adresse de Pawley pour prendre contact et obtenir la location du pavillon !

— Vraiment ? Je croyais que tout le monde était au courant de l'existence de Barmote. Qu'y a-t-il d'autre ?

— On croit savoir qu'elles ont vécu à l'étranger ; madame Masson n'a jamais fourni de détails sur son existence passée, et sa fille a séjourné longtemps sur le continent. Madame Masson a la réputation d'être extrêmement ambitieuse quant à l'avenir de sa fille ; elle a à cœur de lui faire faire un mariage honorable. En tout cas, si tu as l'intention de continuer à les fréquenter, je veux avoir la certitude qu'il s'agit de relations convenables !

Je le considérai avec étonnement :

— Je ne vois pas ce qui peut t'inquiéter. En fait, Kate a reçu une éducation nettement meilleure que la mienne !

— Je ne suis pas de ton avis ! Sont-elles seulement issues d'une famille respectable ? Elles mènent un train de vie aisé mais d'où provient leur argent ?

— Aucune idée, marmonnai-je, boudeuse.

Mon ressentiment augmenta lors d'une conversation pendant laquelle Ashton accapara Mme Masson. Nous revenions de l'église ; Kate et moi marchions devant, et j'entendis malgré moi ce que disait Ashton.

— J'espère que vous n'avez pas placé votre fortune dans les chemins de fer, madame Masson ? Non ? Sans doute préférez-vous les mines ? Le nickel australien marche encore bien. Cependant, si vos revenus proviennent de placements terriens, vous devriez vous abstenir. Au fait, votre mari avait hérité de biens dans le Dorset, n'est-ce pas ?

Les yeux baissés, Mme Masson simulait l'indifférence, mais ses lèvres tremblaient imperceptiblement. Kate se détourna et prit le bras de sa mère :

— Vous semblez particulièrement compétent en matière de placements, monsieur Jasmyn. Ne regrettez-vous pas de ne pas avoir fait carrière à Londres ?

Il lui adressa un regard venimeux tandis qu'elle prolongeait la conversation avec une compétence que j'enviai. Madame Masson gardait le silence. Quand nous nous séparâmes, elle était décomposée alors que sa fille exposait son opinion avec maîtrise.

Plus tard, sans éprouver la moindre gêne devant sa curiosité déplacée, Ashton me déclara :

— J'ai cherché à obtenir des détails sur son mari. Elle cache quelque chose, j'en suis persuadé.

— Quoi, à ton avis ?

— Oh ! probablement rien de bien sensationnel ! Elle est issue d'une famille de petits commerçants qui ont eu la chance de développer leur entreprise. Pourtant je n'y crois guère ; il y a quelque chose d'indéfinissable en elle. Ne t'est-il pas venu à l'esprit qu'elle pouvait avoir du sang étranger dans les veines ?

Cette idée ne m'avait effectivement jamais effleurée...

— Elle a une façon bizarre de moduler ses phrases, comme si elle répétait une leçon bien apprise, reprit Ashton.

— Je ne vois pas pourquoi Kate aurait honte d'appartenir à une famille de commerçants, répliquai-je. Cela n'a rien de déshonorant !

— Possible, mais sans doute ignore-t-elle ses origines ! Et s'il ne s'agit pas d'un commerce honorable, que cachent-elles ?

Cet incident éveilla en moi un doute profond. Il m'était impossible de ne pas subir l'influence d'Ashton et d'ignorer sa conviction ; il n'avait aucun intérêt à répandre des commérages susceptibles de nuire à sa propre réputation.

Afin de ne pas envenimer la situation, j'attendis le départ d'Ashton pour revoir Kate. Elle me parut plus calme, moins exaltée, en proie à des pensées dépressives, provoquées sans doute par le souvenir désagréable du comportement déplacé de mon cousin.

Je proposai à Kate une promenade qu'elle accepta aussitôt. Nous venions de nous engager dans le chemin cavalier quand nous aperçûmes une femme qui cheminait avec lassitude et se dirigeait vers la grande route : une misérable créature ployant sous un lourd baluchon noué à son dos et tenant un bébé dans les bras.

Kate s'approcha d'elle.

— Vous paraissez très lasse... Allez-vous encore loin ?

— Jusqu'à Sainte-Agnès, mademoiselle.

Kate désigna le pavillon :

— Voulez-vous prendre un peu de repos ? Venez, je vais vous conduire...

— Non. Je vous remercie, mademoiselle, mais je ne peux m'attarder à cause de cette enfant. Elle est au plus bas.

Elle resserra son étreinte, berçant doucement le bébé.

— Je dois me rendre au couvent... Les sœurs m'ont déjà apporté leur secours.

Nous contemplâmes le visage émacié et gris de la minuscule créature. Elle respirait avec difficulté, comme si elle cherchait à aspirer une dernière bouffée d'air frais avant l'ultime sursaut. Je retenais difficile-

ment mes larmes, mais Kate eut une réaction différente :

— Il ne faut pas désespérer ! Regardez-moi !

Ses yeux brillaient d'une telle vitalité que la malheureuse se rasséréna :

— J'étais comme elle, à son âge, reprit Kate... Les
médecins m'avaient condamnée, et aujoud'hui, vous
voyez, je suis bien vivante !

La femme lui adressa un sourire tremblant.

— Je vous en supplie, souvenez-vous de moi et ne
renoncez jamais ! reprit Kate. Je vais envoyer un attelage avec le poney pour vous rejoindre sur la route et
vous emmener rapidement à Sainte-Agnès.

— Le chemin serait plus court en passant par
Betony, suggérai-je.

Je désignai l'étroit passage entre les hauts murs,
l'incitant à s'engager sur le sentier qui longeait le ruisseau et contournait la colline boisée.

Kate se tourna vers moi :

— Ne pleurez pas, Tessa : je ne pense pas que
cette petite fille mourra...

J'accompagnai Kate à l'écurie où elle donna des
ordres au cocher qui était à la disposition de Mme
Masson. Puis nous continuâmes notre promenade.

A cette époque de l'année, le manoir avait une
apparence moins sévère ; un rayon timide s'attardait
sur les rochers, faisant ressortir le rose des bruyères.
Un nouvel été agonisait, grignotant inexorablement le
temps dont je disposais encore...

Kate observait la maison :

— Vous aviez raison, Tessa : il y a une atmosphère particulière ici, et l'air est très vivifiant. Tessa, savez-vous que, parfois, je me demande si je ne possède pas un don particulier de double vue ?

— J'en suis certaine ! répondis-je avec ardeur. Vous réussissez tout ce que vous entreprenez...

Elle me sourit et m'étreignit l'épaule, comme une grande sœur compréhensive.

— Tessa, quel est votre tout premier souvenir ?

— Eh bien, je... Je n'arrive pas à me souvenir des Indes...

Kate était au courant de mon histoire ; elle m'avait même juré le secret après avoir lu les lettres du colonel Darlington. J'ajoutai pensivement :

— En fait, il semble que ma vie a commencé ici, à Barmote.

— Je comprends ; on ne se souvient pas de sa naissance mais on peut éprouver une impression de déjà vu parce qu'un détail frappant souligne un changement, une différence suffisamment importante pour raviver un souvenir disparu...

— Je me revois ici, au manoir, dans la salle à manger. Grand-mère se reposait, et je n'avais ni jouet ni livre parce que c'était dimanche. Le temps paraissait suspendu, teinté d'une grisaille inaltérable tandis que je me tenais raide, sur le bord d'une chaise inconfortable, dans mes plus beaux atours.

— C'est monstrueux ! Tous les enfants ont la permission de jouer le dimanche !

Son expression de candeur outragée m'amusait, et

j'éprouvai soudain la conviction que j'avais été élevée différemment des autres enfants. En fait, ces heures interminables de réclusion m'avaient-elles réellement été bénéfiques ?

— Vous disiez que vous aviez le souvenir d'avoir terriblement lutté pour survivre ? demandai-je.

— Oui... Et pourtant, il est pratiquement impossible de se rappeler des événements aussi lointains ! J'ai dû les imaginer... Mais il est exact que là première chose que je garde en mémoire, c'est l'une ou l'autre de mes nombreuses maladies ; dans la pièce voisine, ma mère pleurait. Je ressens encore la douleur que me causaient ces sanglots, comme un désespoir si profond que rien ne pouvait l'apaiser.

Nous reprîmes notre marche. Kate changea brusquement de sujet :

— En Suisse, j'ai fait la connaissance d'un homme qui s'intéressait à des choses passionnantes : le mesmérisme, le magnétisme, etc. Il prétend que l'on peut discipliner la pensée d'autrui et que l'esprit est malléable, qu'il s'agit d'une simple question de concentration. Pour l'avenir, il en va différemment...

L'avenir m'importait peu ; je savais trop bien ce qu'il m'apporterait ! Je dis, consciente à l'avance de ma naïveté :

— Emma connaît une vieille femme, qui vit un peu plus loin dans une chaumière... Elle utilise des tarots pour dire la bonne aventure.

Kate haussa les épaules :

— Quelle absurdité ! Ce ne sont que de vulgaires bouts de carton !

Nous arrivions devant le portail du parc. Elle déclina mon invitation à entrer, les yeux fixés sur un bouquet de campanules...

Sur la console du vestibule, une lettre du colonel Darlington, adressée à ma grand-mère, attendait : il annonçait sa visite pour le lendemain !

Je courus rejoindre Kate pour l'avertir de cette merveilleuse nouvelle.

CHAPITRE VI

C'était une belle journée, chaude et lumineuse. Grand-mère s'était installée dans un fauteuil, face à la porte d'entrée, et m'avait reléguée dans le coin le plus obscur « loin des courants d'air ».

Emma apparut, l'air maussade, les joues rougies par le feu du fourneau :

— Madame, j'ai fait de mon mieux pour accomoder l'agneau ! Colonel ou pas colonel, cet homme a raté son train : c'était bien la peine de se donner tant de mal !

Nous picorâmes négligemment les plats présentés, l'esprit occupé à imaginer ce qui avait pu retarder notre hôte. Si le colonel arrivait par le prochain train, il serait là vers seize heures ; il n'aurait guère que le temps d'avaler une tasse de thé s'il ne voulait pas manquer sa correspondance !

Grand-mère ne dissimulait pas sa satisfaction :

— Ce sera une visite de courte durée... Par une telle chaleur, nous ne pouvons qu'en remercier le Ciel !

Renonçant au confort de son fauteuil favori, elle reprit sa faction héroïque dans la grande salle et finit par s'endormir.

J'avais juste le temps d'aller accueillir le colonel Darlington et d'entendre de sa bouche tout ce que j'ignorais au sujet de ma mère. Auparavant, je discutai avec Emma de l'organisation du goûter prévu pour seize heures précises. Je m'éloignai enfin sur la route, persuadée qu'il pouvait surgir de n'importe quel chemin. J'attendis longtemps là où les sentes se rejoignaient. Une brume de chaleur s'élevait des arbres et masquait les contours de l'église, dans le lointain. Il devait faire frais sous le porche ou sous le toit de chaume de l'entrée du cimetière. J'aurais pu m'y asseoir sur le banc de pierre, en écoutant les pas des chevaux qui montaient du village, mais l'effort nécessaire pour entreprendre ce parcours était trop pénible et j'y renonçai. Un rocher plat m'offrait un siège providentiel mais je ne voulais pas risquer d'abîmer le tissu soyeux de ma jupe et je demeurai sur place immobile, rigide, au bord de l'évanouissement, regardant languissamment l'église et le pavillon aux fenêtres largement ouvertes...

Madame Masson apparut et poussa la barrière du cottage :

— Je suis à la recherche de Kate, l'avez-vous vue ? Elle est partie avant le déjeuner, sans me prévenir. Avec cette chaleur, c'est d'une imprudence folle !

Il me vint à l'esprit que, depuis de longues semaines, Kate avait pris une telle importance dans ma vie que sa mère semblait ne plus exister. Maintenant, je constatais avec stupeur qu'elle n'était plus qu'un mannequin artificiel, un oiseau au plumage rutilant, apparence dérisoire et futile de l'être indistinct qu'il dissimulait.

— Kate ne peut pas être bien loin, madame Masson !

— Elle m'a vaguement parlé d'une esquisse qu'elle voulait faire de l'église.

— Il doit y faire frais...

Je songeais à la nécessité d'assister à l'arrivée du colonel Darlington : il n'allait pas tarder, et je pouvais fort bien guetter sa venue sous le porche de l'église...

— Si vous le désirez, je peux aller dire à Kate que vous réclamez sa présence.

— Ce n'est pas nécessaire !

Elle retint mon bras avec une force inattendue.

— Je préfère que vous restiez auprès de moi...

Ses doigts se détachèrent à regret de mon poignet comme si elle faisait effort sur elle-même pour recouvrer ses manières affables.

— Comment se porte madame Jasmyn ? Elle comprendra certainement que je n'aie pas pu lui rendre visite...

Elle sursauta.

— Avez-vous entendu ?

Je tendis l'oreille, impressionnée par son anxiété ; je ne percevais que les voix des moissonneurs que dominait sa respiration saccadée.

— Je vais aller moi-même à la recherche de Kate, décida-t-elle.

Elle remit ses gants bleu pervenche et ouvrit son ombrelle. Elle avait apparemment tout prévu pour se protéger de la chaleur étouffante ; sa capeline était d'une largeur démesurée et entourée d'une écharpe de gaze épaisse. Quand elle la drapa sur son visage avec un soin étudié, je ne pus m'empêcher d'évoquer les traits ivoirins d'une idole masquée par un voile.

— Je vais vous accompagner, madame Masson. Il fait si chaud et puis au moins cela me fera un but…

A ces mots, elle sembla se raviser.

— Oh ! nous pouvons patienter encore un peu. Après tout, elle n'est peut-être pas vers l'église !

La cloche sonna quinze heures. Le temps paraissait suspendu, c'était le moment idéal où le calme des arbres et des collines donnait l'illusion d'une pérennité qui aurait dû nous apporter l'apaisement. Pourtant nous n'y étions réceptives ni l'une ni l'autre et nous continuions de nous agiter inconsidérément.

— Voudriez-vous m'accompagner au pavillon jusqu'au retour de ma fille ? Pendant ce temps-là, John guettera l'arrivée de la carriole…

Elle prit familièrement mon bras et s'appuya lourdement sur moi. Une fois chez elle, elle parut retrouver son aplomb, retira avec soin sa capeline et s'empressa de sonner. Elle s'activa ensuite à préparer les tasses pour le thé.

— Asseyez-vous, ma chère, me dit-elle. Vous semblez épuisée !

Je pris place sur le sofa, recouvert de velours et aussitôt une bizarre appréhension m'étreignit. Il me sembla que Kate était réellement partie ; et partie pour toujours... Cette pensée me fit mesurer à quel point je lui étais attachée.

Madame Masson se pencha vers moi, et me tendit une tasse fumante.

— Vous êtes terriblement lasse ! Buvez, vous vous sentirez mieux...

Elle avait dû percevoir mon angoisse comme je sentais la sienne. Je bus docilement... Peu à peu le tic-tac de la pendule s'estompa, et le salon lui-même parut s'éloigner...

Beaucoup plus tard, j'ouvris des yeux égarés et j'eus le sentiment que quelqu'un m'observait : ma mère ou Kate ? Le songe éthéré parut se dissoudre...

Je repris conscience et aperçus Mme Masson penchée sur moi, un sourire incertain flottant sur ses lèvres exsangues.

— Vous vous êtes endormie...

— Où est Kate ?

— Elle n'est pas encore rentrée.

Je regardai avec incrédulité la pendule qui marquait dix-sept heures. Je me dressai.

— Pourquoi ne m'avez-vous pas réveillée ? Qu'est-ce que le colonel Darlington va penser de moi ?

— Il ne s'est pas présenté au manoir. John n'a pas quitté son poste d'observation, mais il n'a vu passer

personne. J'ai bien peur qu'il ne vienne plus !
Détendez-vous encore un peu.

— Je me suis suffisamment reposée !

Je ne lui accordais plus la moindre attention.
J'éprouvais une rage amère envers cette femme
égoïste, qui se mêlait des affaires des autres avec une
indiscrétion flagrante. L'indignation, le remords et
une angoisse inexplicable me poussaient à retourner
sans attendre au manoir.

Steadman était posté à l'entrée, Emma, sur le perron, et grand-mère se tenait encore dans la grande
salle, devant le thé depuis longtemps refroidi. Le colonel n'était toujours par là. Comme je prenais place
devant la table pour servir le thé, Steadman apparut
soudain, et demanda si nous pouvions recevoir John,
l'homme à tout faire de Mme Masson. John avait pris
l'initiative d'aller se renseigner au village où il avait
appris qu'une chute de pierres obstruait la voie ferrée
et retardait tous les trains en direction de Spandleby.
Vers treize heures trente, un seul voyageur était arrivé
à Gravesend, s'était arrêté à l'auberge et, sa monture
étant fourbue, avait réclamé l'aide d'un maréchal-
ferrant ou la location d'un cheval frais afin de poursuivre sa route. Il avait ensuite pris le chemin de la
colline, après avoir ordonné au cocher de le rejoindre
au manoir ; il semblait très pressé. Deux heures plus
tard, il avait retrouvé la carriole au pied de la colline,
s'y était engouffré et avait donné l'ordre de regagner
Spandleby le plus rapidement possible.

John se retira après avoir été généreusement

récompensé. Quand il fut parti, grand-mère déclara d'un air blasé :

— Le comportement de ces gens qui ont vécu trop longtemps sous un climat chaud demeure inexplicable. Le colonel Darlington doit souffrir d'un ramollissement du cerveau !

Elle prit un macaron et se mit en devoir de le mâcher consciencieusement. Il était évident qu'elle se réjouissait de ne pas avoir eu à subir cette visite indésirable. Soudain, je me levai sans fournir d'excuse et courus vers l'écurie.

— Simon, sellez immédiatement la jument : nous allons à Spandleby.

Je montai me changer. Nous partîmes dix minutes plus tard et nous engageâmes lentement sur la route cavalière qui descendait la colline. Au passage, je ne pus m'empêcher de lancer un coup d'œil vers l'église, mais je n'aperçus aucun signe de la présence de Kate. La jument parcourait d'un pas allègre la terre meuble. Il était dix-sept heures quarante-cinq quand nous aperçûmes les longs toits irréguliers du village et, au terme de sa rue principale qui serpentait étroitement, la voie de chemin de fer.

— Le train est en gare, mademoiselle !

Une spirale de fumée blanche s'élevait au-delà des arbres. J'entendis Simon jurer quand un troupeau de vaches obstrua la route ; il ne restait plus que cinq minutes avant le départ du convoi quand nous atteignîmes la gare. Sur l'emplacement réservé aux attelages, il y avait un couple de chevaux fumants et une

carriole dont le conducteur était occupé à allumer pla-
cidement sa pipe. Le contrôleur protesta quand je le
bousculai pour m'élancer sur le quai :

— Hâtez-vous, mademoiselle !

— Avez-vous vu monter un homme âgé, à l'allure
militaire ?

Il m'indiqua le dernier compartiment de la première voiture. Je courus le long du train en regardant
par chaque fenêtre. Je m'immobilisai devant le visage
d'un vieil homme au teint jaune, à la moustache gri-
sonnante et raide. Il était adossé à la banquette, les
yeux clos sous d'épais sourcils broussailleux.

— Colonel Darlington ?

Il entrouvrit les yeux.

— Je suis Tessa, Tessa Jasmyn...

Il ne manifesta pas la moindre réaction, et le gron-
dement de la locomotive domina soudain mon appel,
dressant entre nous un mur impénétrable de fumée et
de vapeur.

— Restez en arrière, mademoiselle, si vous ne prenez pas ce train !

Le chef de gare siffla, et le convoi s'ébranla. La
dernière vision que j'eus du colonel Darlington fut
celle d'un visage empreint d'indifférence, qui regardait à travers moi comme si je n'existais pas ou si je
n'étais rien d'autre qu'une coulée de fumée sans intérêt. Le train disparut dans le défilé et se perdit dans
l'ombre de la forêt. Longtemps après le départ du
chef de gare, je demeurai immobile, submergée par
l'impression que l'on m'avait rejetée définitivement,

implacablement. Seule sur le quai désert et silencieux, je croyais entendre ma propre voix qui répétait comme une litanie : « Je suis Tessa, Tessa Jasmyn... »

Je repris le chemin du retour, affreusement désappointée. Tout échange de correspondance avec le colonel s'avérait désormais impossible. Si seulement il m'avait adressé un simple sourire tandis que le train l'emportait, j'aurais pu croire que son voyage avait été irrémédiablement compromis par un enchaînement de circonstances imprévues. Mais non, il ne m'avait pas vue, il n'avait pas voulu me voir. Pourtant, ma présence dans cette gare de campagne aurait dû inévitablement attirer son attention. Après tout, c'était lui qui avait décidé de me parler, c'était même l'unique but de sa visite... Je connaissais ses lettres par cœur, et particulièrement cette phrase ambiguë se référant à « une obligation particulière » que ma mère lui avait déléguée. Il y avait matière à supposer qu'il tenait à présenter des excuses, comme s'il avait failli à un devoir, un devoir fort déplaisant à en juger par sa conduite discourtoise d'aujourd'hui.

Cet événement déplaisant et inexplicable fut effacé par un second incident qui me fit oublier temporairement l'attitude désinvolte du colonel Darlington. Quand Simon et moi arrivâmes dans le bois où régnait à présent une fraîcheur crépusculaire, j'aperçus sur le chemin cavalier un attelage qui venait en sens inverse. Je le reconnus comme l'un de ceux qui appartenaient à l'auberge de « la Tête de canard ». Stupéfaite, je vis alors Kate parmi les passagers.

— Kate ! Arrêtez ! criai-je. Où allez-vous ainsi ?

Elle jeta un ordre au cocher, fit descendre la vitre et se pencha à l'extérieur. Elle semblait infiniment troublée et, pour une fois, incapable de prononcer un seul mot. Mais, devant mon air affligé, elle fit un effort :

— Ma chère Tessa... Je n'aurais pas aimé partir sans vous avoir dit adieu...

— Mais pourquoi... Pourquoi partez-vous aussi subitement ? Où allez-vous ?

Elle hésita, réticente et cependant visiblement peu encline à me mentir :

— J'ai télégraphié à mon amie Margaret. Elle m'attend depuis un certain temps, vous ne l'ignorez pas ?

Il était évident qu'elle venait de prendre subitement cette décision, remise sans cesse en question, puisqu'elle me montrait un léger bagage, indispensable pour un court séjour, sans plus.

— Reviendrez-vous bientôt ?

— Je ne crois pas... Non, je ne reviendrai pas...

Cette déclaration me bouleversa.

— Ainsi, vous aviez l'intention de partir sans un adieu ! En quoi ai-je démérité ? Pourquoi tout le monde me traite-t-il aussi cavalièrement ?

— Que voulez-vous dire ?

— Par exemple, le colonel Darlington...

— Finalement, vous l'avez rencontré ?

— Pas exactement...

Je m'embrouillai dans mes explications.

Elle prit ma main.

— A votre place, j'oublierais cet homme...

» Quant à moi, je pars précipitamment parce que j'avais peur de changer d'avis. C'est l'unique raison de mon départ précipité.

La jument piaffait dangereusement. J'appelai Simon et abandonnai ma monture.

— Je vous rejoins, dit Kate. Je veux respirer une dernière fois cet air incomparable...

— Que vous arrive-t-il, Kate ? demandai-je timidement.

Elle tourna vers moi un regard brillant.

— Ma vie vient de prendre une direction différente, Tessa...

Une curiosité plus puissante que la bienséance la plus élémentaire me poussa à tenter de vaincre ses réticences :

— Quelle découverte, Kate ?

— J'ai découvert la vérité de l'existence, dans toute sa beauté et sa tristesse.

Mon désappointement chassa l'espoir d'une révélation concrète.

— Ce n'est pas la vraie raison qui vous oblige à nous quitter, n'est-ce pas ?

— Si. Elle m'a permis de prendre une décision irrévocable. Mon existence passée était inutile et dénuée d'intérêt. J'ai toujours souhaité accomplir un acte hors du commun, une entreprise spectaculaire, sauver la vie de la reine, par exemple...

— Est-ce là votre but ?

— Certainement. J'ai des amis qui travaillent à Londres. J'ai l'intention de me joindre à eux et de partager leur idéal.

— Vous me manquerez, Kate... Je vous en supplie, ne partez pas, ne me laissez pas à ma solitude !

— Votre solitude ? Je ne comprends pas ce que vous voulez dire. Il y a votre cousin ; vous allez vous marier et devenir une parfaite épouse. Vous procurerez aux gens de Betony les avantages qui leur font défaut : l'adjonction d'eau courante, la construction d'une école pour les enfants. Vous pourrez jeter cette affreuse peau de tigre mangée aux mites et mener une vie heureuse !

— Votre mère ne souhaite pas vous voir partir, n'est-ce pas ?

— Ma mère ?

Son beau visage s'illumina de tendresse.

— Ma pauvre maman... Ses désirs ne seront pas réalisés, sauf sur un seul point qu'elle ignorera toujours !

Son regard exalté en faisait soudain une étrangère. Les liens qui nous avaient unies pendant une courte saison n'avaient plus de signification. Subjuguée par son charme et sa prodigieuse vitalité, j'avais cru à une amitié indéfectible qui se dénouait brutalement. Ce fut moi qui fis le premier geste pour m'éloigner, tandis que sa silhouette se détachait, immobile, sur les bruyères mauves.

— Tessa, un avenir magnifique vous attend. Je

suis persuadée que vous serez heureuse. Elle cherchait à me rassurer, à m'imposer l'endurance et l'énergie qui me faisaient défaut, mais une fêlure cassa brusquement sa voix, note indéfinissable d'envie ou de regret informulé...

Paradoxalement, la compagnie de Kate me manqua davantage que celle de Reuben qui avait fait partie de ma vie passée. Kate, elle, avait transformé Barmote ou du moins, me l'avait fait voir sous un jour nouveau. A présent, je me retrouvais seule, avec pour seule compagnie celle de ma grand-mère... Quelques jours plus tard, elle constata l'absence prolongée de Mme Masson et demanda :

— Crois-tu que nous l'ayons offensée ?

— Souvenez-vous, elle était souffrante, la dernière fois qu'elle est venue.

Une semaine plus tard, Mme Masson était de retour. Pourtant, j'avais l'impression qu'elle ne prenait plus aucun plaisir à ces visites. Elle écoutait gravement, avec une patience infinie, les discours plaintifs de mon aïeule et lui prodiguait comme par le passé de menues attentions touchantes, mais je discernais à présent une nuance dans son comportement apparemment empreint de sollicitude. J'avais tenté d'évoquer Kate et son départ inattendu ; Mme Masson avait simplement murmuré :

— Elle a agi comme elle le souhaitait. Personne n'y pouvait rien. Et je l'ai perdue...

Sur le moment, ces explications formulées avec

fatalisme m'avaient paru quelque peu sommaires, mais je n'avais pas cherché à en approfondir le sens. La manière dont Kate parlait de sa mère m'interdisait d'imaginer une querelle qui les eût obligées à cette séparation. Néanmoins, les termes laconiques et presque indifférents qu'utilisait Mme Masson pour parler de Kate évoquaient une rebuffade et m'imposaient de ne plus évoquer sa fille, mais son expression butée retenait mon attention et aggravait mon anxiété. J'avais moi-même trahi ma grand-mère en engageant cette correspondance avec le colonel Darlington, et en ne lui révélant pas que je l'avais aperçu sur le quai de la gare. Elle était persuadée que le train qui emportait le colonel Darlington avait quitté la station avant mon arrivée précipitée. J'avais la conviction d'avoir moi-même été dupée. C'était la seule explication au comportement discourtois du colonel. Il s'était produit un événement que j'ignorais et qui avait provoqué son indifférence dédaigneuse. Ce malaise vague s'accentuait quand je me rappelais que Kate avait eu, elle aussi, une conduite étrange lors de nos adieux... Souvent, je songeais aux propos d'Ashton à propos de Mme Masson : « Elle cache quelque chose, j'en ai la certitude... » Je me mis à l'observer discrètement, mais mon besoin de liberté m'obligeait à m'échapper lorsqu'elle nous rendait visite, en dépit de la menace qu'elle représentait.

Un après-midi, une averse inattendue me força à rentrer plus tôt que prévu. Le parapluie de Mme Masson était encore dans le vestibule, et je m'attendais à la trouver dans le boudoir. Grand-mère s'y trouvait seule, assoupie. Je sonnai Emma, et lui demandai où était Mme Masson.

— Elle doit être quelque part, mademoiselle...

— Voulez-vous dire qu'elle ne reste pas toujours dans le boudoir ?

— Oh ! elle va et vient un peu partout.

— Où ?

— J'ai suffisamment à faire, je ne peux pas la surveiller constamment...

— Ma grand-mère est-elle informée de ces déplacements ? demandai-je.

— Comme vous pouvez le constater, madame est sujette à de nombreuses somnolences.

Elle dormait d'un sommeil plus lourd qu'à l'accoutumée, tassée dans son fauteuil, sans réaction. Au moment où j'approchais ma chaise à sa place usuelle, Mme Masson pénétra dans le boudoir en brandissant un flacon d'eau de cologne. Elle me sourit aimablement :

— Madame Jasmyn m'a demandé d'aller chercher ceci. Entre-temps, elle s'est endormie. L'averse vous a surprise, je présume ?

Ses manières me paraissaient affectées, tout comme son geste désinvolte pour poser le flacon et s'emparer de ses gants. Je me levai, et nous nous penchâmes ensemble vers le fauteuil.

— Pauvre grand-mère ! dis-je impulsivement.

Madame Masson murmura, sans même prendre la peine d'ébaucher son sourire coutumier :

— Que voulez-vous dire ?

Elle se tenait près du fauteuil quand grand-mère ouvrit les yeux, et elle porta discrètement un doigt à ses lèvres pour m'imposer silence, la main de mon aïeule se posa sur la mienne.

— Tessa...

La voix de grand-mère était rauque mais son intonation me toucha : j'avais toujours été sa première pensée, son unique préoccupation. Pourtant, son regard embrumé se posa tout d'abord sur la visiteuse.

— Grand-mère, je suis là...

Elle avait dû être déconcertée par ces deux silhouettes imprécises qu'elle n'avait pu tout d'abord distinguer. Elle paraissait effrayée. Elle poussa un soupir et fit mine de se dresser. Madame Masson recula d'un pas.

— Nous vous avons dérangée...

L'espace d'un instant, elle m'apparut en proie à une nervosité intense. Je fouillai fébrilement dans le tiroir où se trouvaient ses gouttes : la fiole était presque vide. Tandis que je mesurais la dose prescrite, Mme Masson disparut.

— Non... Je n'en ai pas besoin, Tessa.

Elle repoussa la potion. Je remarquai avec étonnement qu'elle semblait soudain galvanisée par une énergie nouvelle. Elle se leva sans mon aide et se dirigea vers la fenêtre, en s'appuyant sur sa canne. Son regard se porta vers le pavillon, avec une telle acuité qu'elle ne m'entendit pas quand je lui proposai une partie de jacquet. Ses yeux noirs venaient de retrouver leur éclat. Une longue sieste et ce réveil brusque paraissaient avoir chassé les brumes qui, auparavant, noyaient son cerveau.

Dès le lendemain, je fis part de cette amélioration à Mme Masson. Elle répliqua :

— C'est possible, elle a été si bien soignée. Et elle est de constitution robuste ; elle peut très bien se rétablir complètement. D'un autre côté, ma chère, vous ne devriez pas échafauder des espoirs insensés : la fin peut survenir brutalement !

Ces propos ravivèrent mon angoisse. Je n'étais pas préparée à cette disparition et, tandis que nous avancions vers l'hiver, mon appréhension augmentait.

Je me souviens d'un soir où Steadman venait de remettre en place un portrait après avoir remplacé le cordon de suspension. Après son départ, j'avais contemplé avec un soin inaccoutumé cette peinture qui repésentait un sujet mythologique, matière dont j'ignorais alors à peu près tout. Il s'agissait du combat de Krishna avec le dieu Indra : au-dessus d'un dôme doré s'étendait un ciel d'un bleu intense où s'entremêlaient confusément des formes allégoriques, des oiseaux à visage humain dont le regard reflétait une méchanceté incroyable... Ce fut à ce moment-là que je pris conscience du pouvoir maléfique de ce tableau et des objets qui l'entouraient. Un voile venait de se déchirer, qui révélait mon entourage tel qu'il était réellement. Ce n'était plus ma folle imagination qui me faisait voir sous son vrai jour l'attitude bizarre de

Mme Masson ni le regard perspicace avec lequel mon aïeule l'observait.

Parfois, leur façon identique de se surveiller me portait à croire qu'elles se ressemblaient et poursuivaient le même but. Un jour, Mme Masson et moi parcourions d'anciens livres de recettes avec force commentaires. Soudain, je me rendis compte que grand-mère nous observait. Postée sur le palier, elle écoutait nos bavardages anodins. Elle avait repris suffisamment de forces pour se déplacer seule, en s'appuyant sur sa canne. Au lieu de lui parler ou de lui prendre le bras comme j'aurais dû le faire, je me plongeai dans ma lecture en feignant de ne pas l'avoir vue. Son pas s'éloigna à travers la galerie à une vitesse surprenante, seulement ponctué par le bruissement de sa longue robe. J'ignorais si Mme Masson s'était aperçue de la présence de mon aïeule, cette dernière signalant habituellement son arrivée en tapotant le sol de sa canne.

— C'est drôle, je pensais que ma grand-mère nous aurait rejointes, dis-je, refermant le livre, sans pouvoir réprimer un tremblement instinctif.

— Mais… madame Jasmyn ne peut pas se déplacer seule, ou alors elle est plus solide que je ne le pensais. Je la croyais confinée dans son fauteuil…

— Non, non… sa santé s'est améliorée considérablement.

— C'est merveilleux ! dit Mme Masson.

Pourtant, son expression rembrunie démentait son propos.

Je me répétais sans cesse que ces deux femmes m'ôtaient toute substance, à la manière des vampires. Je demeurais entre elles deux, jour après jour, dans la moiteur étouffante du boudoir. J'avais l'impression d'être le pivot d'un compas dont elles représentaient les deux bras...

CHAPITRE VII

On était en octobre, et un vent vif poursuivait les feuilles mortes, les faisait tourbillonner en une ronde infernale. Je m'étais promenée sans but, à travers les allées du parc. Le manoir paraissait s'enfoncer dans la morne attente de l'hiver. Nous n'attendions pas de visite. Qui aurait pu se hasarder en ces lieux hostiles par un temps pareil ? Néanmoins, Mme Masson marchait courageusement, vêtue d'une cape pourpre. Je me dissimulai derrière un arbre, me demandant pour la énième fois pourquoi elle avait bien pu choisir une campagne aussi inhospitalière. Pour quelle raison inavouable s'était-elle imposé cette claustration ?

La réponse venait de m'apparaître brutalement et intuitivement : elle était venue au domaine pour exiger son dû. J'avais maintenant la certitude qu'elle venait des Indes. J'essayais en vain de recouper les dates. Nous l'avions accueillie en invitée, alors qu'elle était déjà prête à saisir une occasion de s'imposer définitivement ! Ce n'était pas sans raison qu'elle évoquait si souvent la mort prochaine de ma grand-mère.

Quand cet événement se produirait, je me retrouverais seule au manoir. Or, elle convoitait le domaine pour Kate. « Il n'y a rien qu'une mère ne puisse faire pour son enfant » affirmait-elle souvent. Et Kate avait dû deviner ses intentions, et avait préféré s'enfuir. En cela, elle avait fait preuve d'une admirable loyauté. Sa mère, elle, s'ancrait dans sa volonté de ne pas renoncer.

Cette conviction aveuglante me fit frissonner. Je courus vers ma chambre pour m'y enfermer. J'étais bien décidée, désormais, à ne jamais revoir Mme Masson.

La porte capitonnée de la bibliothèque était ouverte. Un pas léger résonna, et Mme Masson apparut, tenant un paquet de lettres. Elle s'arrêta net et le dissimula derrière son dos. Sans pouvoir me dominer, j'ordonnai :

— Donnez-les-moi !

Elle ne m'opposa aucune résistance. Je m'emparai des lettres sans leur accorder un regard et les enfouis dans ma poche sans la moindre gêne ; j'étais au-delà des conventions établies, ne cherchais même plus à faire preuve de la politesse la plus élémentaire, comme si nos contacts courtois habituels n'avaient jamais existé.

— Je vous ai percée à jour ! Je connais la raison de votre installation au pavillon.

Elle-même semblait aussi désemparée que moi, incapable de faire face à cette situation inattendue.

Elle tremblait de la tête aux pieds. Elle s'appuya contre le mur, ferma les yeux avec une expression terrifiée, le visage couleur de cendres.

— Vous êtes venue ici dans un but précis, n'est-ce
pas ?

J'avais parlé avec une rudesse inhabituelle,
comme si j'affrontais une armée hostile. Ses lèvres
crispées se déserrèrent, elle murmura :

— Tessa, je ne...

— Oh ! je suppose que vous avez une explication
plausible à me fournir ! Sans doute avez-vous la pré-
tention de proclamer que vous êtes la descendante
directe de mon arrière-grand-père ? Nous avons déjà
connu ce genre d'expérience auparavant !

J'avais pris la même attitude altière que celle de
mon aïeule. Je m'entendais parler avec son intonation
méprisante. Après tout, elle avait fait de moi sa créature et, de plus, les biens des Jasmyn étaient en jeu !

— Vous ne pouvez nier l'évidence !

En dépit de mon exaltation meurtrière, j'eus soudain conscience de mon comportement mesquin. A
mon profond étonnement, elle reprit son aspect
impassible et trouva même la force de rire nerveuse-
ment :

— Comme vous m'avez fait peur !

Elle ne tenta même pas de nier ou de se trouver des
excuses.

— Tenez, voici la clé du bureau...

Cette précision me confondit. Elle passa devant

moi, le regard lointain et descendit rapidement l'escalier. Je la suivis, ne voulant pas la perdre de vue.

— Je crois qu'il est préférable de ne pas dire au revoir à madame Jasmyn, étant donné les circonstances... Avez-vous l'intention de lui raconter ?

— Non, fis-je avec mépris. En aucun cas ! Elle ne doit pas être tourmentée et elle vous considère en amie...

Je n'avais pas achevé de prononcer ce mot que j'en ressentis l'hypocrisie.

— Amie ? Vraiment ? rétorqua Mme Masson, ironique, comme si elle reconnaissait elle-même l'incongruité du mot en ce qui concernait leurs rapports !

— Si elle apprenait qui vous êtes en réalité, le choc la tuerait !

Avec un calme olympien, aussi rigide qu'une statue marmoréenne, elle rétorqua :

— Elle a suffisamment vécu. C'est votre dévotion aveugle qui la conserve en vie. Il y a bien longtemps qu'elle devrait être morte ! Pourquoi vous acharnez-vous à la maintenir en vie ?

Elle avait parlé avec un dégoût glacé qui m'effraya :

— On dirait que vous la haïssez...

Elle ignora ma remarque. Ses traits s'altérèrent et, pour la première fois, je remarquai le fin réseau de rides qui entourait ses yeux.

— Il est naturel que vous vous souciiez du domaine, mais ne vous est-il jamais venu à l'esprit que personne ne le convoite ? Il y a quelque chose à Bar-mote... (Son regard ravagé parcourut la salle encom-brée avec une répulsion instinctive) quelque chose qui provoque immanquablement un malaise insurmonta-ble ! N'importe qui serait soulagé de quitter cet endroit. Le domaine vous appartiendra bientôt et, quand vous serez libre, vous le transformerez en une demeure agréable. Vous deviendrez enfin telle que la nature vous a faite si, toutefois, il n'est pas trop tard... Car je dois vous confier que vous devenez de plus en plus semblable à madame Jasmyn, davantage que je ne l'avais imaginé !

Elle venait d'émettre cette constatation avec une tristesse surprenante, une affliction inattendue. Ma colère s'estompa curieusement, un doute m'étreignit :

— Vous avez sans cesse remis la date de votre mariage pour sa propre sauvegarde : c'était impar-donnable d'exiger un tel sacrifice !

Je ressentis dans sa plénitude l'ironie involontaire de son erreur de jugement mais je ne cherchai pas à lui fournir un démenti. Cette remarque généreuse aug-mentait la bassesse et la mesquinerie de ma propre conduite. Mais sa peur s'était révélée authentique ; Ashton avait eu raison : elle avait quelque chose à cacher. J'observais avec incrédulité ses traits tirés, me rappelant que j'avais toujours été incapable de lui accorder ma confiance.

— Mais alors, pourquoi êtes-vous venue ici ?

— Pourquoi ? En tout cas, pas dans le but de vous priver de ce qui vous appartient ! Quel mal y avait-il à venir ici pour me reposer, vivre en paix dans ce lieu protégé ? A ma première visite, la vue des champs de Betony m'a donné la certitude de réaliser un rêve... Vous êtes trop jeune pour savoir à quel point un rêve peut aider quelqu'un à survivre...

— Madame Masson, je..., commençai-je à balbutier, embarrassée.

Elle s'éloigna en laissant la porte entrouverte. Du haut du perron, j'observai sa marche lente, le mouvement de sa jupe sur les feuilles détrempées. Elle avait perdu Kate. En fait, elle avait l'aspect d'une femme qui a tout perdu.

Et pourtant, j'étais satisfaite d'être enfin débarrassée de sa présence. Elle était intelligente et infiniment dangereuse, mais ma lucidité m'avait permis de la rejeter. Grâce à moi, Barmote était libéré ! J'avais beaucoup plus de caractère que certains le supposaient. Néanmoins, cette discussion avait été épuisante. J'avais mal à la tête et le souvenir de mes déclamations ostentatoires, empreintes d'une vulgarité indiscutable, me mettait mal à l'aise. J'avais été incapable de me dominer, de juguler la révolte qui couvait en moi.

Je devais admettre que son attitude et ses paroles avaient été affables et même amicales, en dehors de son erreur de jugement envers grand-mère. Aucun soupçon ne pouvait être retenu contre Mme Masson pour prouver son désir de s'accaparer la fortune des Jasmyn. Quant à sa présence, elle devait être suscitée par des souvenirs de jeunesse ; elle avait seulement profité de l'occasion offerte, ayant appris par les Warman que le pavillon était à louer : un charmant cottage, qui convenait parfaitement à une veuve fortunée et désireuse d'une vie paisible à la campagne.

Quant à moi, je m'étais dressée en justicière imbue de ses pouvoirs de propriétaire, reproduction dérisoire de ma grand-mère, avec toutes les caractéristiques apparentes de son énergie dominatrice mais sans l'omnipotence de l'original. Sans me leurrer davantage, je découvrais qu'une transformation insidieuse s'opérait en moi. Reuben avait-il deviné ce que j'allais devenir ?

Des bruits familiers, venus du boudoir, me firent sursauter : un tâtonnement, le bruissement d'une étoffe, le tintement d'un verre, un claquement sourd. Grand-mère avait dû faire tomber sa canne. Je la trouvai assise de travers, ses châles en désordre, comme si elle venait de regagner vivement son fauteuil.

— J'ai laissé échapper ma canne. Madame Masson est-elle là ?

Elle respirait difficilement mais sa voix n'avait jamais été aussi claire, elle modulait les mots avec précision :

— Je l'ai envoyée chercher les lettres du révérend Tobias Stacey, dans la bibliothèque, précisa-t-elle. Comme tu le sais, nous avons correspondu pendant un certain temps. Elles sont rédigées en termes élevés et fiers ! Mais, en vérité, je ne suis pas d'humeur à en écouter la lecture aujourd'hui.. Nous nous apprêtions à goûter un verre de vin vieux. Madame Masson a pour moi de telles bontés !

Les deux verres étaient posés sur la table. Je me détournai pour ranger les lettres et la clé du bureau dans un tiroir. J'aperçus la fiole de digitaline, renversée. Je l'avais moi-même entamée quelques semaines plus tôt, et elle avait été à peine utilisée. Et pourtant elle était complètement vide.

Dans la pièce sombre, les deux verres de vin luisaient avec des reflets pourpres, tous deux identiques. Pourquoi imaginais-je une différence de teinte presque indiscernable et, aussi, une odeur particulière, dans l'un d'eux ? Je ne pouvais être sûre de rien, sauf que la digitaline ne se trouvait plus dans la fiole... « Elle devrait être morte depuis longtemps ! » Personne n'aurait osé faire une remarque aussi déplacée, à moins que... Mais il n'y avait pas de raison, aucun motif à mes odieux soupçons.

— Tessa, que fais-tu donc ?

Je percevais à nouveau l'ancienne note d'autorité et, l'espace d'une seconde, j'éprouvai le besoin instinctif de répondre avec ma docilité coutumière. Mais je ne pouvais détacher mes yeux de ces deux verres, si semblables et pourtant fatalement différents. J'imaginais Mme Masson tendant le verre de vin drogué et savourant avec une satisfaction morbide la délectation innocente de sa victime. Je rejetai délibérément cette idée absurde et la remplaçai aussitôt par une pensée encore plus délirante : se pouvait-il que grand-mère elle-même ?... Je voulais en avoir la preuve formelle ; je pris un verre, celui de gauche.

— Grand-mère, désirez-vous boire votre vin ?

Elle marqua une courte pause avant de répondre, parut méditer tandis que je tremblais dans l'expectative.

— Non. Il doit s'être éventé. D'ailleurs je n'aime pas tellement ce breuvage, c'était une idée de madame Masson.

— Peut-être pourrais-je y goûter ?

Ma main demeura étrangement rigide tandis que j'élevais le verre vers mes lèvres...

— Certainement pas ! Je ne veux pas ! se récria ma grand-mère.

Son visage s'était empreint d'une irritabilité sauvage ; elle se dressa brusquement, m'arracha le verre, s'empara du second et lança leur contenu dans le feu ; une flamme s'éteignit.

— Grand-mère, c'est bizarre : je suis certaine d'avoir ouvert une nouvelle bouteille de digitaline, et vous n'en avez pas encore repris une seule dose....

— J'ai les gouttes dans mon réticule, Tessa.

Elle déplaça sa main ; je ne pouvais pas apercevoir la fiole mais je vis les taches rouges et sèches qui maculaient la guipure de sa manche.

— Tu dois confondre, ma chère enfant ! C'est l'ancienne fiole que tu as laissée dans ce tiroir... Tu seras donc toujours aussi étourdie !

A présent, je me rappelais : il y avait eu deux fioles dans le tiroir. J'avais oublié de jeter la vieille comme j'en avais eu l'intention. Tandis que je la déposais dans la corbeille à papier, je m'étonnai de ne pas éprouver plus de soulagement ; je ne ressentais que de la honte, une honte infinie. L'habitude de me méfier des autres avait pris possession de moi à un point tel que j'en aurais été réduite à soupçonner grand-mère elle-même si je n'avais pas eu cette preuve formelle de son innocence !

— C'est drôle... Madame Masson est partie sans prendre congé, ce n'est pas dans ses habitudes ! souligna grand-mère.

Je pris place dans le fauteuil réservé à Mme Masson, de l'autre côté de l'âtre. Les aiguilles de la pendule gravitaient lentement, comme pour marquer les premières minutes d'un nouveau palier dans nos relations. Nous étions à nouveau seules.

Deux jours plus tard, un domestique rapporta les clés du pavillon. Madame Masson était déjà partie. Grand-mère n'en montra aucune surprise ni aucun regret, se contentant d'exprimer sa résignation discrète.

— Grand-mère, n'êtes-vous pas navrée de ce départ subit ? demandai-je prudemment.

— Seulement désolée de savoir le pavillon sans locataire.

— Ses visites vous procuraient une agréable diversion. Je pensais que vous l'aimiez bien.

— Elle avait le don de savoir se rendre indispensable et distrayante. Elle se fera de nouvelles relations n'importe où. C'est une personne qui trouve toujours moyen de se lier, même dans des circonstances difficiles. Je vais prier Pawley de ne pas rechercher un nouveau locataire, malgré la perte du loyer. Faire face à des gens inconnus est devenu trop épuisant à mon âge !

Elle conserva pendant quelques jours sa vivacité d'antan, mais perdit peu à peu son attitude vigilante. Elle restait assise dans son fauteuil, tournant machinalement ses bagues, les yeux fixés sur la fenêtre comme pour communiquer avec une puissance supérieure. Il m'était de plus en plus difficile de m'échapper mais, quand j'y parvenais (et le plus souvent pour me rendre à Betony), mon soulagement était si profond que j'avais l'impression d'avoir des ailes.

Un certain après-midi, en scrutant la brèche étroite entre les deux murs, je vis Mme Bateman gravir péniblement la colline, munie de son seau et de sa cruche ; je courus pour la rejoindre à la source.

— Vous êtes si lasse, laissez-moi faire…

Elle ne protesta pas, prostrée dans une profonde apathie. Inexpérimentée comme je l'étais, j'avais répandu une grande quantité du précieux liquide sur mes vêtements quand nous atteignîmes la chaumière.

— Vous voyez : je suis toujours trempée quand je viens chez vous, madame Bateman ! Vous souvenez-vous ?…

Elle ne répondit pas. Dans l'âtre, les bûches se consumaient, à demi éteintes. La salle avait perdu son

ordre harmonieux et sa netteté. La tablette où
s'étaient trouvés les livres était vide.

— Reuben vous manque-t-il beaucoup ?

Elle esquissa un geste désespéré et s'assit près du
foyer.

— Que se passe-t-il ? Etes-vous souffrante,
madame Bateman ?

— Il est bien inutile de vous préoccuper à mon
sujet !

La phrase lui avait échappé après un long silence
et avec une telle détermination que je me dirigeai vers
la porte et contemplai mélancoliquement la vallée qui
s'obscurcissait.

— Quand vous vous en irez, vous pourrez refermer la porte ! Elle ferme à présent. Reuben l'a répa-
rée avant son départ...

Je m'inclinai devant ce congé sans rémission, et
rentrai tristement au manoir.

Le lendemain, je préparai un coupon d'étoffe,
décidée à l'apporter à Mme Bateman pour qu'elle me
confectionnât du linge de maison ; j'étais bien
entendu disposée à payer généreusement ce travail. Il
me fallut un certain courage pour frapper à sa porte
mais, cette fois-ci, elle me pria de m'asseoir.

— Vous avez cessé de fabriquer des gants ?

J'avais remarqué l'établi relégué sous la fenêtre.

— Oui... C'était Reuben qui allait chercher les
peaux à Maresbarrow.

Son manque d'enthousiasme pour la couture me
désappointa. J'étais très jeune et suffisamment arro-

gante pour estimer qu'elle me devait de la gratitude ou
tout au moins une parole de reconnaissance pour ma
délicate initiative. Quand je revins la voir, elle avait
ourlé deux draps et deux taies d'oreiller coupés dans le
tissu que je lui avais fourni. Elle me remercia pour
l'argent. Si elle parut montrer peu d'intérêt pour le
potage, le beurre et les œufs que je lui offrais, elle les
considéra néanmoins comme une tentative amicale de
ma part.

Un jour, voyant que son seau était vide, je
l'emportai à la source.

— Vous n'auriez pas dû faire cela, mademoiselle Jasmyn ! se récria-t-elle. Tim Wagstaff a promis
à Reuben d'aller quérir l'eau pour moi ; il a dit que je
devais lui donner un penny de temps à autre.

Mais Tim négligeait souvent cette corvée. Je pris
l'habitude de l'accomplir à sa place ; c'était une sorte
d'expiation pour l'inefficacité des Jasmyn envers ceux
qui vivaient sur leurs terres. J'évoquais fréquemment
le problème d'une adduction d'eau avec grand-mère :

— Enfin Tessa ! Ces gens ne cessent de nous
importuner pour une chose ou une autre, arguait-elle.
Plus on leur donne et plus ils deviennent exigeants.
D'ailleurs Ashton partage mon opinion ; comme il le
dit avec logique, nous n'avons aucun intérêt à améliorer les conditions de vie à Betony si Packby doit commencer l'exploitation de la carrière : ils devront alors
tous partir !

— Pas dans l'immédiat. Ils refuseraient de quitter
le hameau aussi brusquement... Je parlais seulement

d'une canalisation d'eau pour faciliter leur existence quotidienne puisque le puits est à sec.

— J'espère que, lorsque je ne serai plus là, tu ne prendras pas la fâcheuse habitude de dorloter les locataires, Tessa ! Souviens-toi que le pavillon est à nouveau vide malgré les débours imposés par le drainage de la route !

Quand elle commençait à s'énerver, j'abandonnais ce sujet, préférant sacrifier les intérêts des habitants de Betony à mon besoin égoïste de préserver sa santé. Un jour, elle avait affirmé qu'elle en parlerait à Burnside mais, depuis son attaque, ses entretiens hebdomadaires avec le régisseur avaient été interrompus. Sa prochaine visite ne surviendrait pas avant la fin du mois. J'avais pris le parti de l'en avertir moi-même, c'était devenu une décision capitale. Dans l'intervalle, mes relations avec Mme Bateman s'améliorèrent. Elle m'autorisa même quelquefois à lire les lettres de Reuben, tout en rechignant comme si elle agissait à contrecœur ; nous soupirâmes ensemble sur les tâches ingrates qui lui incombaient à l'hôpital où il avait trouvé un poste d'assistant d'un chirurgien.

Mais un après-midi, à peine avais-je franchi le seuil de la chaumière que je pressentis un changement dans son attitude.

— Reuben fait des économies pour venir me voir au mois de juin prochain ! m'annonça-t-elle.

Cette nouvelle me remplit d'une telle joie que je cessai d'être sur mes gardes.

— En juin ? C'est une magnifique nouvelle pour vous, n'est-ce pas, madame Bateman ?

— Je ne sais pas...

Je relevai la tête devant son intonation empreinte d'une rudesse inattendue ; je compris aussitôt qu'elle n'ignorait rien de notre tendre secret. Son regard était devenu glacé.

— Il serait plus salutaire pour lui de rester à Londres, si vous voulez mon avis !

Je sortis les victuailles de mon panier et les disposai en tremblant sur la table, comme des offrandes.

— Je vous remercie mais je n'en veux pas ! refusa-t-elle. Et je peux aussi bien vous le dire : je ne veux pas de vous.

Je fixai la table, en me maîtrisant de mon mieux pour ne pas lui montrer à quel point elle m'avait blessée.

— Vous lui avez tourné la tête, voilà le triste résultat et je veux y mettre un terme !

— A-t-il dit ?...

— Il n'a pas besoin de parler. Je l'ai deviné avant son départ et je ne peux nier l'évidence : il me suffit de lire entre chacune des lignes qu'il écrit. Depuis sa prime enfance, il souhaitait ardemment avoir la chance inespérée de devenir médecin et maintenant qu'il en a la possibilité, il ne peut en profiter parce qu'il poursuit un rêve irréalisable.

La table parut vaciller devant moi. Je crispai les paupières mais c'était bien inutile, elle pouvait voir que je pleurais.

Elle se détourna, fit courir sa main le long du rayonnage qui avait contenu les livres.

— Vous m'avez porté malheur depuis ce jour où vous êtes arrivée dans cette maison, au milieu du tonnerre et des éclairs, comme un esprit malfaisant dans votre robe toute blanche, avec votre visage livide. Je n'aurais pas dû vous laisser revenir et vous permettre de lire ses lettres.

— Que puis-je faire ?

— Vous ne devez absolument pas le rencontrer. Si vous le faites, il continuera à espérer et à attendre impatiemment une nouvelle visite, jusqu'au moment où il souhaitera mourir. N'oubliez pas que vous êtes fiancée, que vous vous êtes engagée à épouser un autre homme ! Votre conduite est déloyale.

Après une légère hésitation et la terrible certitude que tout ce que j'entreprenais était mal, je replaçai les aliments dans le panier.

— Je ne reverrai pas Reuben si c'est en mon pouvoir... Et je ne reviendrai plus ici, madame Bateman, lui promis-je sur le seuil.

— Je suis navrée, ma douce enfant..., balbutia-t-elle, les yeux embués de larmes.

Je marchai vers le manoir dans un état second, comme si je flottais au-dessus du sol, vidée de toute substance. Mon pas était si éthéré que, lorsque je pénétrai dans la chambre de grand-mère, elle ne m'entendit pas. Je notai alors que le haut de sa tête atteignait à peine la frange des rideaux damasquinés, ce qui impliquait qu'elle n'était pas grande et mince

comme je l'avais pensé mais plutôt trapue et ramas-
sée. Il était frappant de constater à quel point les
remarques de Mme Masson me revenaient en
mémoire, avec une clarté aveuglante. Elle avait
découvert en moi une ressemblance croissante avec
ma grand-mère, mais nous étions très différentes
physiquement. Je lançai un coup d'œil furtif dans le
trumeau de la cheminée pour m'en assurer de nouveau.

J'ouvris le livre de sermons au hasard, pour en
faire la lecture à grand-mère. J'étais devenue suffisamment experte pour suivre le fil de mes propres
pensées tout en énonçant solennellement celles du
révérend Tobias Stacey.

— Non Tessa, pas ce matin. Je préfère que tu me
lises quelques-unes de ses lettres, elles sont d'une
essence si élevée ! Où sont-elles donc ?

— Dans le tiroir de la table, certainement.
Rappelez-vous, madame Masson s'était rendue dans
la bibliothèque pour vous les rapporter ; vous lui
aviez confié la clé...

Je retirai le paquet de lettres du tiroir de la table en
acajou et déliai le ruban fané, en me demandant pourquoi elle avait pris soin de les mettre sous clé. Qui, à
part elle, aurait pu souhaiter les lire, ennuyeuses
comme elles devaient être ? L'écriture du révérend
Tobias Stacey se révéla curieusement féminine. Il n'y
avait que quatre missives, la première écrite de Simla
et datée de juillet 1853 :

Ce fut au bal de la Résidence que Charles me

demanda en mariage… C'était une soirée très brillante. Les uniformes rutilants, l'ambiance raffinée, la musique me subjuguèrent…

Je suis incapable de décrire l'émotion qui m'étreignit en pénétrant aussi brutalement dans ce monde perdu d'où j'avais été exilée, ni à quel point ma gratitude envers Mme Masson fut immense pour avoir commis la miraculeuse erreur de se tromper de lettres. Les phrases simples m'emportèrent rêveusement dans un pays aux parfums inconnus, sous un rayon de lune romantique et une salle de bal illuminée de somptueux chandeliers de cristal et fleurie de plantes étranges. Elles évoquaient les derniers jours heureux d'une société déjà condamnée.

— Tessa, je croyais que tu avais la clé du bureau ?

La voix de grand-mère s'était faite aiguë. Je me tournai vers elle et regardai avec détachement le visage qui se dessinait entre les brides du bonnet, faisant ressortir la peau tavelée, les lèvres serrées, les larges narines insensibles. Elle avait dû oublier les lettres de ma mère ; elle ne pouvait pas avoir consciemment menti quand elle avait affirmé les avoir détruites, elle qui vénérait par-dessus tout la pureté de conscience !

Un frisson glacé me pénétra : elle était aussi convaincue de la duplicité de ma mère que de son propre altruisme ! On eût dit qu'un monument vénéré venait subitement de s'écrouler, ne laissant que des ruines pitoyables. Je la vis enfin telle qu'elle était : diminuée, victime de ses idées fantasques, s'acharnant à survivre dans cette maison lugubre où s'entassaient des reliques dérisoires...

— Pourquoi ne vas-tu pas chercher les lettres du révérend Stacey ?

— Je croyais qu'elles étaient rangées dans le tiroir, mais apparemment elles se trouvent encore dans la bibliothèque. La clé est là. Si vous me précisez à quel endroit je les trouverai, je vais vous les apporter.

— Non ! refusa-t-elle avec véhémence et l'air soudain méfiant. Ça prendra trop de temps. Lis-moi plutôt quelques sermons.

Le livre du révérend Tobias Stacey était suffisamment volumineux pour y dissimuler les précieux feuillets. J'avais tout loisir de les parcourir tandis que je marquais une pause solennelle à la fin de chacun des paragraphes impressionnants. Elle ferma les yeux au bout de quelques minutes.

Le Capitaine Darlington est arrivé et m'a remis le rubis. C'est un bijou splendide qui s'harmonise merveilleusement avec ma nouvelle robe de dentelle ivoire et je le porterai toujours, de jour comme de nuit. Si mon bébé est une fille, elle le portera également plus tard...

Cette lettre avait été rédigée en décembre 1855, quand le régiment était en garnison à Canwpore, à quatre-vingts kilomètres de Lucknow. Ma naissance avait dû se produire au printemps ou au début de l'été de l'année suivante.

J'ai eu la chance de trouver une nourrice anglaise.
Son mari est sergent. Nous sommes devenues amies.

Ma nourrice ! Le colonel Darlington l'avait men-
tionnée. Je connaissais ses lettres par cœur ; il avait
évoqué quelque chose à son sujet, le regret de n'avoir
pas pu lui prodiguer son aide et ses conseils : « Une
créature dévouée, Sarah ou bien Susan, j'ai oublié son
prénom... » Elle était cependant venue à bout de ses
nombreux problèmes sans lui. Elle avait réussi à
accomplir le fastidieux voyage de quatre jours jusqu'à
Calcutta et, ensuite, celui de quatre mois jusqu'en
Angleterre et cela sans son secours ! Sarah ? Ou
Susan ? Je me dressai soudain tandis qu'une minuscule étincelle ravivait l'un des charbons à demi consu-
més. Les tragiques circonstances l'avaient tout
d'abord précipitée dans une existence précaire, identique à celle de la triste créature qui se dirigeait péniblement vers Sainte Agnès. De nombreux bébés étaient
morts pendant la révolte mais Sarah, ou Susan,
m'avait ramenée au pays, saine et sauve. Nous avions
dû être très proches depuis le jour de ma naissance et
je lui devais la vie ! Après m'avoir confiée à grand-
mère, elle avait disparu, emportant tout ce qui me rattachait au passé. Je réalisai avec un chagrin enfantin
qu'elle était la seule personne au monde à connaître
ma véritable date de naissance ou qu'elle avait été la
seule, car, pour ce que j'en savais, Sarah ou Susan
(j'avais un penchant pour Susan), usée par ses dramatiques aventures aux Indes, était sans doute décédée.
Elle était veuve ; son mari avait dû périr au cours du

siège de Lucknow, comme mon père. Brûlant du désir
d'en savoir davantage, je fus désappointée en découvrant que la lettre que je tenais était la dernière. Je
n'en avais pas encore terminé la lecture : il restait une
ou deux phrases du plus haut intérêt :

*N'est-ce pas étrange ? Elle vient du pays natal de
Charles, elle est issue de la famille Cade qui habite
Betony.* Ces précisions la rendirent encore plus proche
de moi. Et pourtant, il avait été si peu question de sa
présence, lors de la merveilleuse rencontre à l'auberge
de Gravesend. Je réveillai ma grand-mère sans aucun
scrupule, et l'interrogeai :

— Mais ma nourrice, là-bas, aux Indes... Vous
l'avez rencontrée à l'auberge. Comment était-elle ?

— Comment ? Tiens, passe-moi mon châle, ma
chère enfant. Comment peut-on dire exactement à
quoi ressemble quelqu'un ?

Elle prit tout son temps pour ajuster le châle
autour de ses épaules.

— Vous n'y avez jamais fait allusion.

C'était presque une accusation de ma part. J'étais
déjà prête à la confondre grâce au témoignage indiscutable des lettres, mais l'habitude de tout dissimuler
était aussi puissamment ancrée en moi que ma volonté
de ne pas provoquer une émotion fâcheuse pour son
état de santé.

— Cette femme était tellement insignifiante ; elle
ne m'a pas fait une profonde impression. Et je
m'étonne que tu évoques ce sujet après quinze
années !

— Ce devait être une personne infiniment loyale et bonne pour avoir pris soin de moi comme elle l'a fait ? insistai-je.

Elle se redressa, les joues dangereusement empourprées et parut se forcer à garder son sang-froid, avant de déclarer délibérément :

— Ce n'était que l'épouse d'un vulgaire soldat et aux Indes en plus ! Tu n'as aucune idée de la dégradation de leurs mœurs ! Cette femme n'était pas digne de te prendre en charge. Elle n'a pas eu à se plaindre, car je l'ai grassement payée.

— J'aimerais avoir des détails. Votre rencontre a eu lieu à l'auberge, m'avez-vous dit, ne pouvez-vous vous souvenir un peu de ses paroles ?

Mes questions l'irritaient visiblement. Tandis que je les débitais avec exaltation, elle porta négligemment sa main à son front. Je demandai avec une hardiesse inusitée :

— Elle ne vous a rien appris sur ma mère ?

— Je n'avais pas à discuter avec elle de nos affaires de famille. Ma chère enfant, pourrais-tu avoir l'obligeance de déplacer un peu le paravent ? Et peut-être pourrais-je avoir mon lait chaud, j'ai la tête qui tourne...

Je sonnai pour appeler Emma et déplaçai le paravent qui protégeait des courants d'air.

Emma apporta le lait, et annonça :

— Monsieur Burnside est arrivé, madame, si vous désirez le voir ?

— Non, non. Qu'il me laisse seulement l'état de gestion...

— Je vais le lui dire, grand-mère.

Je le trouvai dans l'écurie, et lui parlai sans ambages du puits...

— Le puits est à sec ? répéta-t-il, embarrassé. Voulez-vous dire : au hameau de Betony ?

Il écouta mes questions hésitantes concernant une adduction d'eau destinée aux chaumières.

— Ça me fait vraiment plaisir de voir que vous vous intéressez à la question, mademoiselle Jasmyn !

Il m'adressa un regard aigu, comme s'il révisait son jugement.

— Tout va mal au hameau, surtout depuis la maladie de Madame, mais, avec votre aide, nous pourrions y apporter certains changements salutaires !

Je protestai hâtivement :

— Et surtout, il ne faut absolument pas la bouleverser !

— Vous savez, c'est bizarre ce qui s'est passé au puits des Cade ; je ne m'y attendais guère !

— Le puits des Cade ? répétai-je effarée par la coïncidence. J'ignorais qu'il avait un nom...

— Ce sont les Cade qui l'ont foré. Ils étaient fermiers à *Betony Hay*... Il y a maintenant plus de trente années qu'ils sont partis. L'endroit est abandonné mais les Cade y reviennent après un long chemin...

— Où sont-ils à présent ?

— Il n'existe qu'une seule survivante : mademoiselle Agibail Cade ; elle vit au cottage de Gib, sur la route de Spandleby.

Ainsi la chance pure se décidait à pointer son doigt, non pas vers les minarets et les tours dorées de Lucknow, pas même en direction de l'auberge de Gravesend, mais sur une chaumière située à environ une demi-heure de route du manoir.

CHAPITRE VIII

Elle n'avait pas pu deviner ma visite. *Gib Cottage* se trouvait au bout d'un sentier perdu, au bas de la colline et tournait le dos à la route. J'avais laissé la carriole et le poney sur le chemin et marché en flânant le long de la sente herbue, quand j'aperçus la cheminée fumante de la chaumière. La quiétude de l'endroit me poussa à descendre doucement les quelques marches qui menaient au jardin. La porte était entrouverte, et une voix me parvint :

— Entrez donc ! Je vous attendais.

Je m'arrêtai interloquée au milieu d'une salle obscure.

— Pardonnez-moi, mais vous devez vous tromper : je ne suis pas la personne que vous attendiez, seulement Tessa Jasmyn du manoir de Barmote !

Elle était assise devant une table ronde, près de la fenêtre. C'était une petite femme rondelette, vêtue de soie puce et coiffée d'un bonnet empesé. Au-delà de la croisée s'étendait la courbe immense de *Long How*. Dans la pièce, un assortiment de mobilier couvrait chaque pouce du sol avec une densité telle que je dus me frayer un passage à l'aveuglette.

— J'espère que vous voudrez bien excuser mon intrusion inattendue...

Devant son silence imperturbable, j'élevai la voix :

— Etes-vous mademoiselle Cade ?

— Oui, et je vous attendais...

— Comment est-ce possible ?

Ses mains recouvertes de mitaines esquissèrent un geste pour attirer mon attention.

— Je l'ai su par les cartes.

Je me glissai entre deux ou trois guéridons pour la rejoindre. Elle avait au moins soixante-dix ans, mais je ne pouvais pas la considérer en personne âgée tant ses manières étaient empreintes d'un enthousiasme juvénile. Elle pointa l'index sur la reine de cœur.

— Tenez, là : une dame blonde, une étrangère qui, pourtant, m'est infiniment proche !

Je la considérai avec incrédulité. Une lueur malicieuse dansait dans ses yeux bleus.

— Vous savez, les cartes m'apprennent un peu plus chaque jour. Il y a des années qu'elles sont mes confidentes. Tout d'abord je n'en étais pas sûre, mais c'est devenu une certitude : elles possèdent un pouvoir indiscutable. Asseyez-vous donc !

Je pris place sur une chaise, à sa gauche, dans l'expectative d'en entendre davantage puis je me souvins avec frayeur que tout ce qui se rapportait aux sortilèges était impie.

Elle semblait impatiente de découvrir de nouveaux sujets d'intérêt dans le jeu de tarot étalé devant elle, mais, soudain, elle agita vigoureusement une clochette de cuivre.

— Vous prendrez bien un rafraîchissement après votre randonnée ?

La porte de la cuisine resta close mais quelques bruits divers à l'extérieur annoncèrent bientôt l'approche d'une très vieille servante chargée d'un panier d'œufs. Elle traversa la salle sans paraître me remarquer et s'engouffra dans son domaine. A ma grande joie, car j'étais affamée, je perçus bientôt le tintement de la vaisselle. Les préparatifs du thé prirent presque une heure, ce qui me permit amplement d'expliquer le but de ma visite.

Mon hôtesse était bien mademoiselle Abigail Cade, la sœur de Jonas Cade, le dernier fermier de *Betony Hay*. Elle y avait vécu en compagnie de son frère et de sa belle-sœur. Je supposais que la salle contenait la plupart des vestiges de leur ancienne demeure.

— Que dites-vous ? Sarah ? Non, il n'y a jamais eu de Sarah Cade.

— Alors... Susan ?

— Non. Il y avait Mary, la femme de Jonas. Elle est morte jeune. Et ensuite, Jonas n'a plus jamais été le même.

— Avaient-ils des enfants ?

Elle secoua la tête d'une manière définitive qui m'emplit de désespoir.

— Pourtant, quand j'étais bébé, aux Indes, j'ai eu une nourrice qui portait ce nom. Je pensais qu'elle pouvait être de vos parentes ; il y a des années qu'elle a quitté la région, au moins trente ans.

Je me détournai quand Molly, la servante, apparut et étendit sur la table une nappe ourlée de fine dentelle. Mon déplacement s'avérait sans objet mais je trouvais une certaine consolation devant l'apparition de petits pains au lait, de confitures diverses, et d'un cake aux fruits confits.

Tout en servant le thé, Mlle Cade reprit songeusement :

— Les Cade ne sont jamais restés loin de Betony. Ils avaient ce pays dans le sang... Je ne me souviens pas que l'un d'entre eux soit parti vivre ailleurs, sauf...

Elle posa la théière en méditant.

— Je ne l'ai jamais oubliée et cependant elle n'était pas tout à fait une Cade...

— Qui était-ce, mademoiselle Cade ?

Plongée dans une attente angoissée, je restais suspendue à ses lèvres tandis qu'elle devenait lointaine. Une vague d'appréhension me submergea : allais-je échouer si près du but ? La brise avait ouvert la porte et soulevait la nappe, comme un malin génie porteur d'un message...

— Susannah.

Elle venait de prononcer le prénom avec une jubilation intense, comme si elle l'avait extirpé des profondeurs impénétrables de l'oubli.

— Est-elle morte ? demandai-je avec appréhension.

— Très probablement. Je n'ai plus jamais entendu parler d'elle depuis le jour où elle est partie et il y a si longtemps... Pauvre petite Susannah ! Vous disiez que vous la connaissiez ?

— Je suis presque certaine que je l'ai eue pour nourrice. Je vous en prie, parlez-moi d'elle !

— Jamais un Cade ne serait parti en pays lointain. Mais Susannah n'était pas complètement une Cade. C'était une malheureuse orpheline issue d'une parenté sujette à caution. Jonas et Mary l'ont recueillie. Mais, à la mort de Mary, son existence est devenue misérable comme celle de Cendrillon.

— Alors, elle n'était pas réellement votre nièce ?

— Non. Mais j'étais quand même devenue pour elle sa tante Abbie. Nous menions tous une existence difficile et plus particulièrement pour une jeune enfant. Et Jonas n'était pas homme à s'émouvoir facilement. Il exerçait sur elle et sur moi également une sorte d'esclavage. C'était une fillette fragile, une victime née. Je la revois quand elle revenait du puits, chargée d'un joug de bois, ployant sous le fardeau des seaux pleins à ras bord.

— C'est horrible ! Et elle s'est enfuie, dites-vous ?...

— J'ai pensé par la suite qu'elle y avait été forcée. Jonas l'avait traitée si cruellement ; pourtant ce n'était pas dans sa nature de se montrer aussi impitoyable...

— Et elle n'a jamais donné de ses nouvelles ?

— Jamais. Nous n'en avons plus entendu parler. Vous dites qu'elle était votre nourrice ?

Elle me considéra avec incrédulité, s'essuya les doigts à l'aide de sa serviette brodée et s'empara des cartes avec impatience, à la recherche de nouvelles informations. L'heure à laquelle j'avais dit à Simon de venir me chercher avec la carriole était largement dépassée.

— Je vous remercie, mademoiselle Cade. J'ai pris grand plaisir à vous rendre visite.

— Comment vous appelez-vous, déjà ? me demanda-t-elle, le regard vague.

Je m'étais levée pour prendre congé.

— Jasmyn... Tessa Jasmyn.

Elle me contempla pour la première fois avec lucidité et un désappointement évident.

— Elles ne me l'ont pas dit... Elles auraient dû le faire !

— Qui ?

— Les cartes. Elles auraient dû me le dire.

Elle prit le paquet en secouant la tête avec rancœur :

— Elles n'y sont pas disposées, pas encore !

« Elle est complètement folle », pensai-je aussitôt sans, pour cela, me départir de la sympathie qu'elle m'inspirait.

— Je suis un peu dure d'oreille, vous l'avez constaté. Je n'avais pas saisi votre nom la première fois. Je

pensais que vous étiez la dame qui habite le pavillon ;
on dit qu'elle est très élégante...

— Je suis désolée, elle est partie.

— Mais la nourrice dont vous parliez ne peut pas
être Susannah, voyons ! Elle n'aurait jamais consenti
à travailler pour les Jasmyn ; de ce côté-là, elle ressemblait trop aux Cade !

— Et pourquoi pas ?

— Parce que les Jasmyn n'auraient pas dû avoir
cette parcelle de terrain, des pâturages situés entre la
ferme de *Betony Hay* et la rivière. Elle appartenait
aux Cade qui en ont été dépossédés par certains
moyens délictueux...

Son visage rond s'était allongé, perdant sa malice
radieuse. Sa voix s'était faite implacable, durcie par
une haine trop longtemps endormie qui se réveillait
brusquement. Elle étala les cartes en éventail...

— Tenez, prenez-en une au hasard.

J'obéis et lui montrai celle de mon choix :

— C'est mieux ainsi.

C'était l'as de pique. Elle agita aussitôt la clochette, et la servante accourut.

— Débarrassez donc cette table, Molly. Et vite !

Je refermai la porte derrière moi tandis qu'elle
était occupée à couper le paquet de cartes.

Il me fallut un certain temps pour chasser
l'impression curieuse de cette entrevue, afin de penser
en toute sérénité à Susannah Cade.

Le fait d'avoir retrouvé ses traces me la rendait

plus réelle. Peu à peu, j'arrivais à lui donner une vague personnalité. L'impression indéfinissable mais toujours croissante de l'existence artificielle qui était la mienne et qui suscitait en moi un malaise irrépressible, comme si j'étais tenue de jouer un rôle qui m'allait mal, me poussait à l'imaginer profondément sincère et loyale. Elle avait été solitaire, indésirable. Et pourtant, elle avait aimé ma mère et s'était dévouée pour elle.

Elle avait été bonne et généreuse...

C'était devenu un besoin vital, né de mon isolement : elle faisait désormais partie intégrante de mes pensées, revivait dans mon esprit comme un fantôme bienfaisant auquel, malheureusement, j'étais incapable de donner un visage. Puis, un jour, j'osai pénétrer dans la ferme de *Betony Hay*.

Une pomme, qui n'avait pas été cueillie et survivait seule sur une branche dépouillée frôlant le mur de la ferme, m'attira dans le jardin. Le portail avait perdu son barreau supérieur, et les fenêtres, un ou deux volets, mais la maison avait remarquablement survécu, toujours solide en dépit de son abandon. Sous les doux rayons du soleil vespéral, elle paraissait non seulement habitable mais accueillante. Au-dessus du linteau de la porte d'entrée, étaient gravées les initiales : *J.-C.*, et une date : *1685.* Une dalle de pierre formait une seule et haute marche. Des gens du voisinage avaient utilisé les pièces vides pour y entreposer des sacs de farine, et des pommes de terre, en respectant cependant un certain ordre. Tout en mâchonnant

ma pomme, j'explorai les dépendances ; tout au fond
se trouvait une laiterie aux murs humides. Là, d'une
fenêtre, Susannah avait vue sur le puits et pouvait
apercevoir, en se penchant légèrement, l'étroit sentier
qui sinuait parmi les bruyères jusqu'à la route où les
attelages des gens bien nés se dirigeaient vers le haut
portail du manoir. Les sorbiers, minuscules quand
Susannah était enfant, étendaient maintenant leurs
branches souples et robustes. Et dans cette maison où
elle avait pris racine à l'image de ces arbustes, Susannah grandissait dans mon esprit vagabond.

Pendant tout l'hiver, je retournai à *Betony Hay*
dès que j'avais l'occasion de m'échapper. La maison
était protégée des vents du nord par la colline boisée.
Engoncée dans une cape épaisse, les mains enfouies
dans un manchon, j'avais pris l'habitude de m'asseoir
sur le rebord de la fenêtre et d'observer, au loin, la
vallée encore intacte, qui serait un jour dévastée par la
carrière d'Asthon. Ou bien, j'errais, à travers le
dédale des pièces, à la recherche d'un vestige qui eût
évoqué Susannah. La maison m'était devenue familière ; j'avais appris à me méfier de la marche sour-
noise du vestibule et à éviter les solives basses.
J'appréciais par-dessus tout l'absence complète
d'objets, qui me changeait des pièces encombrées du
manoir. Dans une chambre à l'aspect monacal, qui
donnait sur le versant de la colline, je trouvai un jour
l'amorce d'un escalier dérobé qui conduisait directement à une sorte de débarras attenant à la cuisine.
Près du portail, le pommier sauvage éclatait d'une

délicate floraison rose pâle. La maison offrait un aspect attendrissant, comme une image romantique ; aussi errai-je à travers les pièces, en proie à une exaltation joyeuse. Une touche de soleil s'infiltrait dans le réduit poussiéreux, effleurant comme un index un dessin sinueux : la lettre S gravée dans le bois du mur, comme pour souligner l'occupation d'un territoire. Comme j'appuyais sur le panneau, je m'aperçus qu'il s'agissait d'une porte donnant sur une niche qui servait de repaire à une légion d'araignées. Je tâtonnai avec précaution et trouvai plusieurs morceaux de bois enveloppés de chiffons que j'emportai à la cuisine pour les examiner : trois poupées grossièrement taillées et habillées de cretonne délavée ! Je les approchai de la fenêtre : elles étaient différentes l'une de l'autre. Laquelle des trois préférait-elle ? Aussitôt, je leur trouvai des prénoms : Susannah, Kate, Tessa… Je plaçai Tessa entre les deux autres. Alors que j'observais les figurines, l'idée que je me faisais de Susannah se modifia. Dissimulée dans ce recoin, elle avait dû goûter un répit dérisoire, tandis que les adultes qui l'avaient prise en charge conversaient dans la cuisine. C'était là, dans cette piètre retraite, qu'elle avait fini par prendre une décision irrévocable, la plus importante de sa jeune vie : s'enfuir…

Je sortis de ma torpeur en percevant un bruit léger. Peut-être était-ce le bruit léger du loquet ? Je me dirigeai vers la porte d'entrée, exactement comme si je m'attendais à voir Susannah surgir !

J'attendis, la main posée sur le loquet, avec la certitude que je n'étais plus seule dans le jardin.

Une haute silhouette, qui devait avoir contourné la maison, apparut à l'angle de la façade.

— Reuben... Je vous croyais encore à Londres..., bredouillai-je, sous le choc de la surprise et de l'émotion.

— J'ai eu une opportunité : j'aide de temps à autre un palefrenier qui habite à proximité du meublé où je loge. Cela ne me rapporte pas énormément, mais l'argent ainsi gagné m'aide un peu. Cet homme m'a parlé d'un gentilhomme qui désirait que quelqu'un lui ramène un cheval. Je dois aller le chercher demain par chemin de fer. Je suis venu prendre un peu de bois que ma mère a entreposé dans le grenier... Je ne m'attendais pas à vous trouver ici...

Son séjour en ville l'avait changé. Plusieurs mois de travail et d'attente avaient ciselé ses traits, leur conférant une finesse nouvelle. Son regard était plus dense et ses épaules avaient tendance à se voûter. Il paraissait moins sûr de lui, presque vulnérable. Je me souvins brusquement à quel point je l'avais humilié, blessé. J'étais un oiseau de mauvais augure, qui ne lui avait apporté que des tourments...

— Je compte les heures depuis que j'ai accepté de faire ce voyage.

Il attendait, intrigué par mon silence.

— Je me disais que vous étiez peut-être partie...

Son intonation lasse me mettait mal à l'aise. Il

détourna son regard en esquissant un sourire contraint.

— J'aime cette vieille maison. Elle est ravissante, à cette époque de l'année...

— Reuben, j'espère que vous êtes heureux dans votre nouvelle existence. C'est sûrement préférable pour votre avenir... Pardonnez-moi, mais à présent, je dois m'en aller.

Je n'avais rien fait pour mériter son amour, et il m'était aussi facile de lui briser le cœur rien qu'en m'exprimant avec froideur et en franchissant le portail comme s'il était devenu subitement invisible. Il n'y avait pas lieu d'expliquer mon attitude lointaine, je lui avais fait suffisamment de mal. Il me dépassa, posa la main sur le loquet en maintenant la barrière ouverte.

— Je ne peux pas croire que vous ayez changé à ce point ! Vous ne m'avez jamais parlé ainsi auparavant... même quand j'étais votre serviteur ! Vous semblez différente. Ce n'est pas bien, alors que j'ai trouvé ce prétexte uniquement pour vous revoir.

Un brusque coup de vent fit tomber une cascade parfumée de fleurs de pommier, semant des pétales légers sur le revers de son manteau élimé. J'eus un geste instinctif pour les enlever.

— Ne me touchez pas ! Je ne veux pas de votre pitié ! C'est encore la vieille dame, n'est-ce pas ? Elle vous a recommandé de m'éviter ?

N'ayant que la volonté de sa mère à l'esprit, je me

mépris sur le sens de sa question et je ne voulus pas trahir la parole donnée :

— Elle... Elle a seulement voulu...

— Je vois : elle a fini par gagner ! dit-il, hargneux. Elle vous a forgée à sa propre image ! Elle tenait à vous avoir tout à elle et n'a jamais accepté l'affection que vous pouviez témoigner à quelqu'un d'autre. Souvenez-vous de votre chien et de votre préceptrice française !...

Je me sentis devenir livide.

— Reuben, qu'essayez-vous de me dire ?

Il hésita...

— A quoi bon ? Vous êtes destinée à passer le reste de votre vie auprès d'elle ; elle a toutes les chances de nous survivre. Elle est immortelle comme la méchanceté humaine... Si vous n'avez pas encore découvert sa véritable personnalité, mieux vaut continuer à rester dans l'ignorance !

— Que cherchez-vous à me faire comprendre au sujet de Lance ?

Cette question était inutile, il en avait dit suffisamment pour raviver en moi certains détails troublants que j'avais toujours repoussés sans pour autant réussir à les chasser complètement :

— Insinuez-vous qu'elle avait un plan bien établi pour se débarrasser de lui ? Elle l'a bien vu pourchasser un mouton, non ?

Devant son silence obstiné, la vérité m'apparut enfin, et je compris les raisons de la fureur qui s'était emparée de lui tandis qu'il entassait les pierres sur la tombe hâtivement creusée.

— Comment s'est-il échappé ? Vous avez dû le voir, vous étiez dans les parages !

— Il ne s'est pas échappé du chenil. J'ai vu votre grand-mère prendre le vieux balai et s'en servir pour le pousser à l'extérieur. Il n'a jamais pourchassé les moutons. C'était un mensonge : votre grand-mère a assassiné votre chien aussi sûrement que si elle l'avait égorgé de ses propres mains !

A ces mots, le visage débonnaire et familier sous un bonnet aux rubans couleur de jais se transforma en une figure de cauchemar.

— Je ne peux pas supporter cette idée, Reuben ! Aidez-moi...

Mais il ne répondit pas et s'éloigna après avoir murmuré qu'il ne reviendrait plus, me laissant abasourdie...

Toutes ces années de confiance innocente, de luttes incessantes pour plaire à grand-mère avaient été vouées à un monstre d'hypocrisie ! Il n'y avait aucune sincérité dans son affection et nulle humilité dans ses sentiments religieux ! J'avais beau fouiller ma mémoire, je ne voyais qu'elle, vêtue éternellement de noir, un livre de prière à la main, me prodiguant son amour implacable et ses pardons faussement généreux. Je n'avais plus qu'un désir : exorciser ce démon, m'en libérer et redevenir moi-même !

Elle était seule, trônant au milieu de ses châles.

Pour la première fois, je la dominai de toute ma taille.

— Je vous hais ! déclarai-je d'une voix rauque. Je vous hais pour la façon odieuse dont vous m'avez trompée ! Vous pensiez sans doute que personne ne savait, que personne ne saurait jamais...

J'étais certaine qu'elle comprendrait : ce crime monstrueux ne pouvait pas avoir de précédent. Elle n'avait pu oublier. Ce ne fut que plus tard que je me demandai si la mort d'un chien pouvait justifier son regard épouvanté et la manière dont elle balbutia :

— Qui ?... Qui a pu !...

— Reuben. Le palefrenier. Il a tout vu. Et vous m'avez menti au sujet des lettres de ma mère, vous ne les avez pas brûlées. Je les ai lues. Vous avez cherché à me donner une fausse impression d'elle. Vous la détestiez simplement parce que mon père lui avait offert le rubis. A propos de quoi encore m'avez-vous menti ?

J'avais trop parlé, sans daigner me préoccuper de la tentative qu'elle faisait pour se redresser. Elle retomba contre le dossier de son fauteuil tandis que je poursuivais :

— Il faut me laisser partir. Je ne peux pas épouser Ashton. Donnez-lui le domaine si tel est votre désir ! Tenez !

J'avais empoigné la bible et la lui tendais, folle de douleur et de rancune.

— Il doit bien y avoir un moyen de me délier de mon serment ?

Il me venait à l'esprit quelques phrases susceptibles de libérer ma conscience :

— Vous devez savoir comment me délivrer des
obligations auxquelles vous m'avez forcée !

Ma voix se cassa. Je renonçai, vaincue... La
révolte survenait trop tard. J'étais asservie depuis
trop longtemps, et elle avait aucunement l'intention
de désarmer. Elle conservait son emprise, rien qu'en
agonisant devant moi. Un violent frisson la secoua de
la tête aux pieds, et elle mourut, les yeux fixés sur
moi.

La bible tomba avec un bruit sourd, m'abandonnant une page froissée. Un éclatement de tonnerre
déchirant la maison du grenier à la cave n'aurait pas
eu davantage le pouvoir de me convaincre de mon
blasphème maudit. Je demeurai figée, en proie à une
frayeur superstitieuse, me souvenant trop tard de la
première fois où j'avais souhaité être libre, devant le
puits. J'aurais dû apprendre la leçon : il n'y avait
aucune évasion possible, aucun moyen de changer
mon destin. Dans un dernier élan désespéré pour la
ramener à la vie et assurer notre mutuelle sauvegarde,
je courus au tiroir pour y prendre la digitaline et me
rappelai que j'avais depuis longtemps jeté la fiole
vide. Je répandis le contenu de son réticule sur le plan-
cher et en découvris une autre... également vide...

Submergée par l'angoisse, je croisai le regard fixe,
accusateur.

— Je regrette... Pardonnez-moi, par pitié ! Je ne
voulais pas votre mort...

La porte ouvrit sur Emma.

— Je l'ai tuée..., murmurai-je, acceptant le poids de ma faute. Je lui ai causé un choc terrible, et à cause de moi...

— Allons, allons..., dit Emma d'un ton apaisant. Cela devait arriver ! Vous étiez tout pour elle et vous l'avez assistée jusqu'à la dernière minute...

Tout ce qu'elle avait fait, elle l'avait fait pour l'amour de moi. Sa cruauté, ses mensonges lui avaient été dictés par des raisons primordiales. C'était moi qui l'avais faite ainsi, et elle qui m'avait modelée telle que j'étais. Je n'aurais pas été capable de dire qui, de nous deux, pendant les longues années passées ensemble, avait causé le plus de mal à l'autre.

Je ne pris pas part au bouleversement qui suivit. Ayant agi avec la déraison qui avait provoqué le drame, je ne pouvais plus rien entreprendre, sauf une chose ; avant que son corps fût emporté, quelqu'un avait retiré la châtelaine qui ceignait sa robe et l'avait déposée sur le sol. Quand je fus seule, je l'accrochai à ma taille et considérai avec appréhension mon reflet dans le haut miroir.

Négligeant la bienséance, je convoquai Burnside avant les funérailles, avant même l'arrivée de mon cousin. En fait, j'étais décidée à agir avant l'ouverture et la lecture du testament, aussi donnai-je ordre au régisseur de réparer les chaumières et d'y installer l'eau.

— Ne vous préoccupez pas du prix, précisai-je,

bien décidée à utiliser ainsi l'argent destiné à mon trousseau ou à vendre quelques-uns des trésors indiens.

— Je veux que ce travail soit effectué avant mon mariage, précisai-je encore.

— J'agirai selon vos directives, mademoiselle Jasmyn.

Comme il ne possédait pas de plan, je le conduisis à la bibliothèque pour consulter une carte ancienne.

— Voici la source, indiquai-je.

— Sur les cartes récentes, le tracé est différent, observa le régisseur. La ferme et le terrain situés à l'est appartiennent encore aux Cade, à mademoiselle Abbie, mais le reste fait désormais partie du domaine.

Je considérai l'épaisse ligne noire qui délimitait nos possessions.

— Quand avons-nous acquis cette parcelle entre la ferme et la rivière ?

— Bien avant ma venue. Monsieur Pawley pourrait vous renseigner ; il détient les actes notariés. Mais je contacterai le contrôleur de la Compagnie des eaux aujourd'hui même pour savoir si nous aurons un débit suffisant.

Après son départ, je regagnai la maison. Elle avait toujours été d'un calme impressionnant mais, maintenant, le ronronnement du vent s'était apaisé jusqu'à devenir un murmure assourdi. Une fois de plus — cela devenait une habitude, — je me surpris à tendre l'oreille, m'attendant à entendre l'appel de grand-mère. Je fus soulagée lorsque Steadman vint me consulter au sujet des divers problèmes à résoudre : la veillée funèbre, la rédaction des faire-part, l'accueil des fermiers venus exprimer leurs condoléances.

Ashton arriva trois jours plus tard ; la manière dont il retira son manteau et se campa devant la cheminée de la grande salle proclamait qu'il se considérait désormais comme le maître de Barmote...

CHAPITRE IX

Mon aïeule m'avait laissé la pleine jouissance du domaine, Ashton et le frère de grand-mère ayant été désignés en qualité de curateurs. Après la lecture de ses dernières volontés et alors qu'il n'était plus possible d'ajourner la discussion concernant notre avenir, je m'armai de tout mon courage.

— J'ai promis de t'épouser, Ashton.

— Pour l'amour du ciel, Tessa, tu n'as pas besoin d'y faire allusion : nous sommes fiancés depuis un an et demi !

J'étais résolue à me montrer loyale...

— J'ai fait ce serment uniquement parce que grand-mère l'exigeait, avouai-je.

Il me considéra avec indulgence.

— Tu n'étais qu'une enfant. D'ailleurs, tu es encore très jeune ! Tu sais, je ne suis pas si mauvais ! Et je te promets que tu auras une vie très agréable, tu auras des amies, nous donnerons des réceptions et nous irons parfois à Londres...

— Elle m'a fait jurer sur la bible !

Il m'entoura tendrement les épaules de son bras.

— Rien d'étonnant à ce que tu sois effrayée : cette maison respire la malédiction divine ! Je reconnais qu'un mariage est une affaire sérieuse, mais la vie que tu as menée ici t'a enlevé toute spontanéité, ma pauvre chérie. Tu es encore sous le choc. Rien ne presse ; disons par exemple vers le milieu du mois de juillet si cela te convient ?

J'acquiesçai simplement de la tête, piteusement.

— Y a-t-il quelqu'un que tu aimerais inviter ? demanda patiemment Ashton.

Je songeai aussitôt à ma chère préceptrice, maintenant employée dans un collège de jeunes filles. Mais, étant donné la longue distance, elle ne pourrait sans doute pas se déplacer. Peut-être, plus tard, consentirait-elle à nous rendre visite ?

— J'aimerais bien inviter Kate Masson, dis-je.

— Ah ! j'avais oublié les Masson. Que sont-elles devenues ?

— Kate a pris la décision soudaine de partir pour Londres. Elle vit chez des amis, et je n'ai plus de nouvelles d'elle. Quant à madame Masson...

Il semblait y avoir si longtemps qu'elle s'était éloignée, la mine désolée, sa longue robe balayant les feuilles d'automne ! Cette évocation provoquait en moi un désespoir identique à celui qu'elle avait montré... J'éclatai en sanglots...

— Je n'arrive pas à comprendre pour quelle raison je l'ai toujours détestée !

Ashton resserra son étreinte.

— Tu ne dois pas rester seule ici jusqu'à notre mariage, Tessa. Une dame de compagnie serait la bienvenue. Je vais écrire à Pawley ; il s'informera et trouvera une personne convenable. Quant aux Masson, tu dois essayer de les oublier.

Il consulta sa montre :

— Il est l'heure de notre promenade à cheval. Je te donne dix minutes pour te préparer.

Nous traversâmes le ruisseau à hauteur de la chaumière de Mlle Cade, et tandis que nous regagnions la berge, je me retournai et entrevis un éclat blanc sur le seuil, comme si quelqu'un agitait un linge, et je me demandai si ce signal m'était destiné, ou s'il s'adressait aux laboureurs qui se trouvaient dans les champs voisins.

— Attention, Tessa ! Tu es dans les nuages !...

J'avais failli heurter une branche basse.

— J'aimerais savoir ce que Burnside fait ici, remarqua Ashton.

Le régisseur se tenait devant la source, en compagnie d'un autre homme et d'un jeune garçon chargé d'un sac à dos.

— C'est curieux, on dirait qu'ils sont en train de prendre des mesures...

— Ils doivent être occupés à la réparation des chaumières, répondis-je avec détachement.

— J'ignorais que madame Jasmyn avait conçu un tel projet ! Pour l'amour du ciel, j'aimerais comprendre le but de ces aménagements quand toute la région va être bouleversée par l'exploitation de la carrière !

Je contemplais le paysage comme si je le voyais pour la dernière fois, dans l'espoir d'en imprégner mon âme : le ruisseau paresseux qui serpentait entre les saules, les prairies lumineuses, les petites maisons enfouies dans l'enchevêtrement d'une végétation exubérante, les collines lointaines enrobées du velours mauve de la brume. Betony n'avait jamais été plus cher à mon cœur qu'en ce jour où je ressentais son déclin avec une acuité douloureuse.

J'avais soudain la sinistre prémonition d'un désastre proche, qui atteindrait l'essence même de cette terre aimée : les misérables vivants qui s'acharnaient à y survivre.

— Je dois parler à Burnside ! décida mon compagnon.

— Pas maintenant, je t'en prie, Ashton... Ce travail est déjà entamé et de peu d'importance ; il s'agit seulement de quelques modifications de détail qui auraient dû être envisagées depuis fort longtemps. D'ailleurs, c'est ton dernier jour parmi nous, et je vais être si seule après ton départ...

C'était l'exacte vérité. Ashton se montrait bienveillant, aimable, et je m'étais habituée à sa compagnie. Ayant acquis la certitude que je ne pouvais plus rien changer à quoi que ce fût, il me fallait accepter sans me plaindre. Et, si possible me résigner sans trop de regrets. En fait, la seule chose que j'avais apprise était de me soumettre sans récrimination inutile...

Nous eûmes la chance de trouver Mme Arrow,

veuve d'un pasteur, qui, compte tenu de sa situation précaire, fut ravie d'accepter le poste temporaire de gouvernante et de dame de compagnie. Nous prenions nos repas ensemble, partagions nos veillées, et elle m'accompagnait parfois lors de mes promenades en carriole, car Ashton avait laissé à ce sujet des instructions très strictes : je devais conduire l'attelage ou me promener à cheval chaque jour.

En mai, Mme Ballard arriva avec une malle remplie d'échantillons et de livres de mode, accompagnée de deux assistantes qui devaient séjourner à Barmote afin d'exécuter mon trousseau. La couturière affirma que ma robe de mariée serait superbe en gaze et en faille, avec une jupe ornée de rubans et de bouquets de fleurs, et une traîne longue de cinquante mètres. Tandis que je virevoltais avec une indifférence totale pour lui permettre de prendre mes mesures, elle affirma :

— Cette toilette vous sera d'un grand secours. Quand les choses ne sont pas tout à fait ce qu'elles devraient être...

Elle m'adressa un clin d'œil perspicace et acheva :

— ... une belle robe remonte le moral !

— Madame Ballard, avez-vous connu d'autres jeunes filles qui auraient préféré...

— D'autres ? Presque toutes, oui. Pourtant, elles ont fini par surmonter leur répugnance et par organiser leur vie. Le plus important, c'est qu'une union soit équilibrée. Seules les choses irréalisables sont romantiques. Vous pouvez remettre cette horrible tenue noire, j'ai terminé. Mais après le mois de juillet, il faudra alléger vos toilettes de deuil. Vous aurez tout un choix parmi les teintes pastel : du bleu lavande, du lilas, du blanc, du gris...

Tandis que nous attendions la voiture qui devait la conduire à la gare, elle regarda avec dégoût la peau de tigre étalée au milieu de l'immense salle et me considéra avec sympathie.

— Puis-je me permettre de vous demander votre âge, mademoiselle Jasmyn ? reprit-elle.

— Je l'ignore. Je ne connais pas la date exacte de ma naissance ni même où je suis née..., expliquai-je à contrecœur.

Elle éclata de rire.

— Vous avez de la chance : la plupart des femmes apprécieraient ce manque de précision, afin de dissimuler leur âge véritable !

Après son départ, je demandai à Emma d'enlever la peau de tigre.

Les problèmes les plus urgents restaient à résoudre. N'ayant pas été déclarée officiellement, lors de ma naissance, j'étais obligée d'affronter pas mal de complications. On inscrirait sur mon livret de mariage : date de naissance inconnue, comme grand-mère l'avait fait sur la bible familiale. Ou pire : on laisserait un blanc ! S'il avait été accessible, le colonel Darlington aurait peut-être pu m'éclairer quant à la date approximative de ma naissance. La seule personne qui la connaissait réellement était Susannah : son mari avait été sergent dans le régiment de mon père. Mue par une impulsion, j'écrivis à M. Pawley en le priant de se livrer à une enquête.

Madame Arrow, la dame de compagnie n'était pas avec moi, quand un après-midi, Simon me conduisit au bourg. Au retour, nous venions de dépasser le chemin menant aux cottages, quand nous entendîmes un son strident qui affola les poneys...

Molly, la servante de Mlle Cade, agitait une clochette de la main droite, tout en faisant de grands signes de la gauche, comme un marin saluant au passage un vaisseau. Je mis pied à terre et envoyai Simon à la maison en déclarant que je reviendrais par le sentier longeant le ruisseau.

— Elle vous réclame, mademoiselle...

— Se pouvait-il que huit mois se fussent écoulés depuis notre rencontre ? Je restai sur le seuil sans oser bouger.

— Entrez donc ! Molly a aperçu votre voiture de la fenêtre d'en haut. Nous vous guettions... Vous êtes passée par ici il y a quelques semaines, et Molly a dit : « Voilà mademoiselle Jasmyn ! » mais je le savais déjà avant, les cartes me l'avaient annoncé.

Je me glissai comme la première fois entre les meubles pour m'approcher d'elle.

— Vous semblez lasse. Asseyez-vous, proposa-t-elle.

— Non, je vous remercie, mais je dois partir. Pourquoi vouliez-vous me voir, mademoiselle Cade ?

Elle me regarda avec une jubilation intense.

— Parce qu'elle est ici !

— Qui ?

— Qui ? d'après vous ? Susannah ! Susannah Cade !

— Ici ?

Je regardai autour de moi, m'attendant presque à découvrir une femme, installée dans l'un des nombreux fauteuils qui encombraient la pièce.

— Non, ici !

Elle tapa sur la table.

— Elle est là depuis votre dernière visite. En fait, je ne suis pas sûre qu'elle n'y était pas auparavant, seulement je n'y avais pas prêté attention. La voilà !

Elle rabattit le trois de carreau :

— S et C, réunis dans cette carte : elle y est tout le temps. Et tenez...

Elle indiqua le quatre de cœur :

— Une femme venue d'au-delà des eaux ! Oh ! elles viennent bien, elles ne demandent qu'à parler...

J'attendais, intriguée en dépit de mes doutes.

— Prenez donc une carte !

J'en choisis une avec indifférence et guettai sa réaction :

— Que dit-elle ?

Elle déclara sans hésiter :

— Vous devez vous marier. Je vois beaucoup de soucis et de discussions, mais vous devez vous marier, c'est une certitude. Et la revoilà !

— Susannah ?

— Oui, Susannah Cade. Après tant d'années ! Mais maintenant, ce ne sera plus long.

— Voulez-vous dire : avant qu'elle arrive ?

Elle inclina la tête.

— Avant qu'elle frappe à cette porte !

La porte intérieure était entrouverte. Molly avait repassé dans la cuisine et rangeait de fins rideaux de mousseline. Elle avait également astiqué l'aiguière et la bassine en cuivre.

— Alors vous l'attendez ? Vous attendez Susannah ?

— Oui. Nous préparons tout pour la recevoir dignement.

Il y avait quelque chose de tellement étrange dans ce mélange de problèmes ménagers et de suppositions hasardeuses que j'oscillais moi-même entre la réalité et l'incertitude...

Avant de regagner le manoir, je fis un détour par *Betony Hay*. Je faillis rebrousser chemin devant la barrière tant l'endroit ravivait le souvenir douloureux de Reuben. Les circonstances l'avaient impitoyablement relégué dans un passé lointain, comme s'il était mort. Je m'arrêtai devant la porte de la salle commune, croyant discerner un détail inhabituel. Le soleil de l'été naissant était au zénith et nimbait une poignée d'avoine éparpillée dans le recoin le plus éloigné, révélant l'empreinte d'une botte étroite au milieu de la poussière. Je montai lentement à l'étage en relevant ma jupe jusqu'aux chevilles, croyant deviner de chaque côté des marches une marque claire et arrondie, comme si une jupe plus longue que la mienne m'y avait précédée, en traçant son passage à travers la poussière accumulée. Je m'arrêtai brusquement dans la minuscule chambre, surprise par un éclat vert sur le mur : les fougères obstruaient maintenant la fenêtre. La porte de l'escalier dérobé était entrebâillée. Je découvris avec désappointement que les trois poupées de chiffon avaient disparu du rebord de la fenêtre où je les avais laissées ; l'un des enfants du hameau avait dû les emporter. Je suivis d'un doigt tremblant la courbe du S tracé sur la petite porte du réduit et regardai à l'intérieur dans l'espoir de trouver d'autres trésors. A ma grande joie, j'y aperçus Kate, Tessa et Susannah allongées dans l'ombre. J'étais pourtant bien persuadée de les avoir laissées dans la cuisine. Se pouvait-il qu'un enfant eût découvert la cachette de Susannah ? Quand elle était fermée, il était impossible de distinguer la porte des panneaux de bois qui l'encadraient.

Saisie par une panique soudaine, je me précipitai dehors...

Au manoir, une lettre m'attendait. Monsieur Pawley m'écrivait qu'il avait existé un sergent au 32e régiment de l'Armée des Indes, un nommé Edward Drew, dont la veuve, Susannah, avait regagné l'Angleterre au mois d'août 1858, accompagnée d'une fillette en bas âge. Depuis, personne n'avait plus entendu parler d'elle.

Peu à peu, une conviction grandissait en moi : je devais partir. Cela n'avait rien de dramatique et ne m'apportait pas non plus l'exaltation escomptée. Simplement, c'était une perspective qui s'imposait à moi.

Je n'avais pas de plan précis à partir de l'instant où je franchirais pour la dernière fois le portail de manoir. J'avais vaguement l'intention de me rendre à Londres et d'y retrouver Kate, ou bien de me confier aux bons soins de Mme Ballard, ou encore de rendre visite à Queva, mon ancienne préceptrice, qui m'avait écrit pour m'annoncer son mariage avec un maître d'école et pour m'inviter. C'était tout ce que j'étais capable de concevoir. Une sorte d'épuisement moral m'enlevait tout sens des responsabilités comme si j'avais eu la faculté d'effacer les conséquences de cette initiative future en cessant de m'en préoccuper.

Nos bans furent publiés le dernier dimanche de juin. Après le service religieux du matin, j'allai me recueillir durant quelques instants sur la tombe de grand-mère. En sortant du cimetière, je me trouvai face à face avec Reuben. Il était mince, presque maigre, et son visage arborait un air de profonde gravité. Ses yeux s'étaient encore creusés et sa peau blafarde était tendue sur ses pommettes émaciées. Son aspect pitoyable me bouleversa, mais au souvenir de notre dernier entretien, j'éprouvai un désespoir si intense que je m'éloignai sans un sourire ni une parole bienveillante.

— Ce jeune homme...

Sous prétexte d'ajuster sa cape, Mme Arrow avait lancé un regard discret autour d'elle.

— Il avait l'air de vouloir vous parler. Il a l'air malade ! Croyez-vous que nous devrions ?...

Mon visage altéré lui imposa silence, et nous reprîmes notre chemin sans échanger une seule parole. Pourtant, arrivée devant l'entrée du parc, je me détournai brusquement et refis en courant le trajet jusqu'à l'église. Mais Reuben avait disparu.

Mes obligations envers Mme Arrow m'aidèrent à supporter l'épreuve du déjeuner.

— Vous ne mangez rien, ma chère enfant ? Est-ce à cause de la chaleur ?

J'attendis en dissimulant mon impatience qu'elle eût regagné sa chambre pour me rendre à la mienne. Emma avait laissé sur mon lit un petit colis — sans doute un nouveau cadeau de mariage. Je le laissai tomber sans l'ouvrir dans les profondeurs de ma garde-robe et pris rêveusement un chapeau et une cape légère. Seule, une promenade me ferait du bien.

Sur la route, la nécessité d'un but s'imposa et aussitôt, je songeai à *Betony Hay*.

Je glissai comme une ombre entre les haies d'aubépines ; il n'y avait pas une âme alentour. Tout le monde devait être parti, tant était profonde la quiétude de cette journée d'été. Dans le jardin de *Betony Hay*, aucun souffle n'agitait les feuilles du pommier sauvage. Je n'allais commettre aucun mal en jetant un dernier coup d'œil par la fenêtre de la salle commune, à la pièce où j'étais venue si souvent me recueillir. Une souris détala pour aller s'abriter derrière les sacs de graines.

Près du puits, le sureau avait refleuri. Je m'attardai, accoudée sur la margelle agréablement fraîche.

Encadrée par les guirlandes immobiles du sureau, la vallée ressemblait à une image privée de vie.

Tout à coup, cependant, quelque chose bougea comme si le portrait s'animait. Au pied du versant boisé, le ruisseau étincelait, changeait de teinte. Je fixais avec une telle intensité le paysage somnolant que je crus voir les collines se déplacer, venir à moi puis reculer avant de reprendre leur position immuable, tandis qu'une forme imprécise émergeait de l'ombre des arbres et longeait le sentier : la silhouette d'une femme vêtue de brun. J'attendis, immobile comme les pierres du puits, guettant son approche. En dépit de la distance qui nous séparait encore, je remarquai qu'elle marchait résolument. Allait-elle franchir le cours d'eau par le pont ? Elle disparut soudain au détour d'un buisson et se perdit parmi les marguerites sauvages et les trèfles, puis émergea sur le chemin qui montait vers *Betony Hay*.

Elle portait une capeline de paille et une robe toutes simples. Malgré la pente abrupte qu'elle escaladait, elle conservait le même rythme régulier et inlassable des robustes campagnardes habituées à de longues marches. Elle ne pouvait pas me voir, car j'étais cachée derrière le puits mais, en revanche je distinguais nettement son visage. Dès qu'elle eut poussé la barrière de la ferme et disparu derrière les pommiers, je courus vers le muret, juste à temps pour la voir pousser la porte d'entrée et franchir avec une sûreté qui dénotait une grande habitude la marche branlante du vestibule.

J'avais évoqué un esprit insaisissable et j'étais confrontée avec un être humain bien réel. La stupeur et l'incrédulité me paralysaient. Pourtant, en observant Mme Masson, je comprenais que mon instinct ne m'avait pas trompée : malgré l'élégance de ses toilettes, elle n'avait jamais eu la démarche éthérée d'une grande dame ; ce détail qui m'avait toujours échappé prouvait qu'elle était restée une paysanne.

— Tessa..., dit-elle en m'apercevant sur le seuil.

— Madame Masson, c'est... c'est si étrange de vous rencontrer ici.

— Est-ce donc si étrange de revenir chez soi ? J'ai passé mon enfance ici. Ce qui est étrange, c'est que j'en sois partie !

CHAPITRE X

Elle avait changé, comme si, en revêtant une tenue rustique, elle s'était dépouillée d'un déguisement. Son regard reflétait la sérénité ; sa fixité vigilante avait disparu, mais la mélancolie y demeurait.

— Ainsi, vous êtes revenue.

— Je ne pouvais plus supporter d'être loin d'ici.

Nous nous assîmes devant la fenêtre, sur le banc de pierre.

— J'ai écrit à ma tante Abbie pour lui demander de m'héberger, expliqua-t-elle. Cela s'est fait simplement. Nous nous sommes assises à la table et nous avons parlé de l'ancien temps.

— Elle vous attendait.

Susannah éclata de rire. Je ne l'avais jamais vue rire auparavant, à l'époque où elle était encore Mme Masson.

— Chère tante Abbie ! Sa confiance dans les cartes est maintenant illimitée... Elle ne sait pas combien de fois je me suis promenée le long du chemin qui mène à son pavillon, en réfrénant l'envie de lui rendre visite !

Je détournai les yeux, partageant son embarras à évoquer l'épisode du pavillon.

— Quand on vieillit, on éprouve le besoin de revenir à ses racines.

Elle appuya la tête contre le volet et contempla les collines.

— La première fois, j'ai retrouvé mes vieilles poupées de chiffon ! J'ai eu l'impression de revoir la petite Susannah de jadis...

— Comment dois-je vous appeler ?

Passé le premier instant de stupeur, il m'était devenu facile de lui parler avec naturel.

— Madame Masson me semble trop... réservé, précisai-je.

Elle hésita...

— Vous m'appeliez mamie, en imitant Kate.

— Après la mort de ma mère ?

Elle inclina la tête.

— Comment était-elle ? Est-ce que vous l'aimiez beaucoup ?

— Alice Jasmyn a été mon seul soutien, quant tout s'est écroulé autour de moi.

— Le colonel Darlington m'a écrit qu'elle était morte brusquement.

— Elle a attrapé le choléra. Elle a ressenti les premiers symptômes à midi et avant minuit, j'essuyais sur son front les sueurs de l'agonie.

L'évocation de ce souvenir atroce altéra ses traits. Elle ferma les yeux et soupira.

— Puis-je vous appeler Susannah ? demandai-je.

— Cela me plairait.

— Quand je songeais à vous, lors de votre séjour à l'auberge, il ne m'était pas venu à l'esprit que vous aviez une fille... Je croyais qu'il n'y avait que moi. Mais vous avez dû vous occuper de nous deux, et Kate était tellement fragile...

Elle changea délibérément de conversation :

— Quand j'ai appris que le pavillon était libre, j'ai immédiatement compris la chance qui m'était offerte... Devenir la maîtresse des lieux, même pour une brève période...

Je songeai à la petite Susannah observant passionnément les équipages luxueux depuis le minuscule œil-de-bœuf. Quel étrange revirement de situation, quelle revanche pour cette femme partie de rien !

— Et bien entendu, je voulais voir ce que vous étiez devenue, de quoi vous aviez l'air.

Que s'était-elle imaginé ? Que j'étais égocentrique, soupçonneuse et âpre au gain, comme tous les Jasmyn ?

— Et... avez-vous été déçue ? demandai-je avec appréhension.

— A la veille de votre vie d'adulte, j'aurais voulu vous voir amoureuse, sereine... Mais, bien que fiancée, vous sembliez seule, un peu désemparée.

Je l'interrompis brusquement, impatiente d'en venir à l'essentiel du sujet :

— Pourquoi ne m'avez-vous rien dit ?

Elle mit longtemps à répondre.

— J'ai eu tort. Mais il y avait Kate.

— Elle ignorait que vous aviez été ma nourrice ?

Cette impression d'intimité que j'avais éprouvée auprès de Kate et la douleur de notre séparation n'étaient pas nées de mon imagination, mais d'un souvenir oublié. Bien longtemps auparavant, déjà nous avions été très proches, puis séparées.

— Kate ne sait rien ?

— Je lui ai dit que je vivais auprès d'une parente âgée.

— Pourquoi est-elle partie ?

— Son séjour ici lui a appris à réfléchir et l'a transformée. Un jour, elle s'est décidée à partir... Je suppose que le temps en était venu.

Il ne s'agissait donc pas d'une brouille comme je l'avais supposé, seulement d'une séparation à la croisée des chemins. J'entrepris de la réconforter :

— Après tout, Kate a agi exactement comme vous...

Elle sursauta.

— Dans mon cas, c'était pure folie !

Je l'amenai à parler de ce qui me tenait à cœur : notre existence aux Indes, et au travers de ses propos, je comprenais qu'elle était passée par de terribles épreuves. La disparition de son mari, celle de leur premier enfant, la mort de mes parents l'avaient plongée dans la solitude. Des mois de privations, la chaleur insupportable et le calvaire de voir Kate décliner l'avaient réduite à un état dangereusement précaire.

— Quand je suis arrivée en Angleterre, j'avais perdu toute énergie. Plus rien ne me rattachait à l'existence. Rien, sauf de l'argent.

Edward Drew avait participé avec la 32e Armée au pillage de Multan, en 1849 mais, contrairement à ses compagnons, avait fait bon usage de sa part du butin, composée pour l'essentiel de joyaux.

— La plupart des hommes avaient préféré vendre pour quelques roupies, afin de pouvoir acheter de l'alcool mais Ed était prévoyant. Oui, en vérité j'étais riche et j'avais Kate…

Elles avaient mené une existence paisible en compagnie de la mère de Ed jusqu'à sa mort. Peu à peu, cependant, Susannah s'était remise. Son second mariage, avec Richard Masson, avait été une réussite. Mais celui-ci était mort à son tour. Kate était si jeune, à l'époque, qu'elle avait toujours ignoré que Richard n'était que son beau-père. Elle s'était efforcée d'oublier le tragique épisode des Indes. Cette attitude ne m'étonnait guère ; j'y étais même habituée puisque grand-mère montrait une répugnance identique à évoquer ces souvenirs dramatiques.

— L'argent a tous les pouvoirs ! dit-elle d'un ton désabusé.

Cela aussi, je le savais. Grâce à sa fortune, Susannah avait appris, en même temps que sa fille, à évoluer dans la bonne société, et à se dépouiller de ses manières rustiques en s'imposant pour modèle son amie disparue, Alice Jasmyn. Elle conversait comme une dame — avec une prudence excessive, toutefois, et en marquant certaines hésitations qui n'avaient pas échappé à mon cousin Ashton. La seule chose dont elle n'avait pu se défaire était sa démarche énergique de campagnarde. Elle n'en avait pas conscience, sinon elle aurait également modifié ce détail qui trahissait ses origines. Ses toilettes élégantes avaient contribué à créer une nouvelle Susannah. En les supprimant, elle avait accompli un acte délibéré qui symbolisait une nouvelle étape de sa vie ; c'était typique chez elle de se débarrasser de ce qui l'encombrait pour faire peau neuve et entamer une nouvelle existence.

— J'ai perdu Kate et je vous ai perdue également…

Devant ma gêne, elle murmura :

— La faute m'en incombe ; la dissimulation est toujours punie. Dans ce cas particulier, j'ai jugé préférable de ne pas fournir de précisions qui auraient rendu les choses encore plus difficiles.

Si l'idée me vint qu'elle avait fait un peu plus que de cacher la vérité, je la rejetai délibérément. Elle avait seulement songé à sa fille.

— Si madame Jasmyn m'avait reconnue, je lui aurais expliqué la situation et j'aurais fait un appel à sa discrétion, affirma-t-elle après un long silence. Mais il n'en a rien été.

En fait, grand-mère n'était plus là pour dire si elle avait ou non reconnu en son élégante locataire la nourrice entrevue quelques minutes, plusieurs années auparavant.

— Nous n'avions été face à face que durant quelques minutes, et elle m'avait à peine regardée. Elle vous a emmenée aussitôt sans m'accorder le moindre intérêt et en me faisant comprendre qu'il valait mieux ne pas chercher à vous revoir.

Elle changea de sujet et me parla de mon futur mariage ; il avait été annoncé dans le journal. Elle approuvait hautement cette union, et cela partait d'une profonde générosité, car elle n'avait jamais éprouvé de sympathie particulière pour Ashton. Je lui décrivis ma toilette et lui fournis complaisamment des détails sur mon trousseau. Cette discussion frivole effaça la magie de l'heure que nous venions de passer ensemble, nous ramenant à la réalité.

A ma demande, elle me précisa ma date de naissance — le 25 août 1856 —, et l'intérêt fiévreux que j'avais jusqu'alors porté à ce détail s'envola complètement. Quelle importance avait-il ? Et quelle importance le fait que je n'aurais pas tout à fait dix-huit ans le jour de mes noces ?

A l'instant où nous nous apprêtions à partir, je demandai :

— Allez-vous rester auprès de mademoiselle Cade ?

— Oui, je vais m'installer ici. Tante Abbie a déjà modifié son testament : je suis devenue sa légataire universelle. Peut-être pourrez-vous m'aider à envisager des améliorations ? On peut rendre cette maison très agréable. Et quand je serai vieille, je pourrai contempler de cette fenêtre la vallée de Betony...

Tout à coup, mon attention fut attirée par l'apparition de Tim Wagstaff ; il venait de remonter du ruisseau après y avoir rempli un seau qu'il déversait maintenant dans un cruchon. Je courus pour le rejoindre et le saisis par le col de sa chemise en lambeaux.

— Que fais-tu ? Tu sais pourtant qu'il ne faut pas puiser l'eau du ruisseau ! Pourquoi ne vas-tu pas en chercher à la source ?

Je jetai au loin le seau gluant de vase et empoignai plus fermement la fragile chemise. Le pauvre enfant se mit à pleurer.

— As-tu déjà pris de l'eau ici auparavant ?

Il inclina la tête, accablé. Quand il la releva, je vis qu'il claquait des dents. Pourtant, ses mains étaient brûlantes.

— Je suis désolée, Tim... Tu es malade, n'est-ce pas ? Je vais te raccompagner chez toi.

Tremblant de la tête aux pieds, il se remit à pleurer.

— Maman est malade aussi...

Pressentant un malheur, j'eus davantage conscience du silence de l'endroit et jetai un regard anxieux autour de moi, étonnée de constater que toutes les portes des chaumières étaient closes et les volets complètement fermés.

— Tim est malade...

Susannah venait de me rejoindre. Elle posa la main sur le front de l'enfant et prit son poignet :

— Il a de la fièvre.

Nous le ramenâmes chez lui. La honte s'empara de

moi à la vue des marches croulantes, du délabrement des fenêtres et du sentier de terre détrempé par les flaques d'eau. L'obscurité fétide et la puanteur infecte de la pièce me soulevèrent le cœur. Toussant et marmonnant des mots incohérents, Mme Wagstaff gisait sur un grabat, près de l'âtre éteint.

— Restez là, ordonna Susannah.

Elle se pencha sur la malade puis monta rapidement à l'étage. Elle revint bientôt :

— Son mari est également mal en point. Il doit y avoir plusieurs jours qu'ils sont dans cet état. Ils souffrent de douleurs abdominales et d'une grosse fièvre.

— Que pouvons-nous faire ?

Elle regarda Tim prostré sur les marches :

— Le plus grave est qu'il y aura inévitablement d'autres victimes !

La chaumière des Porter se trouvait à proximité, sur un terrain plus élevé ; je vis la porte s'entrouvrir lentement. Tout d'abord personne n'apparut puis la petite Betty s'avança et nous adressa un regard implorant. Je la pris dans mes bras et devant sa détresse, j'eus la prescience de ce que nous allions trouver à l'intérieur. Il était trop tard pour venir en aide à Mme Porter : elle était morte étendue près de son baquet à lessive. Susannah ordonna :

— Mettez immédiatement cette fillette à terre, Tessa !

Je resserrai mon étreinte.

— Croyez-vous que j'aie peur de la contagion ? Elle hésita...

— L'infection provient de l'eau polluée ; elle provoque de l'entérite et de violents accès de fièvre.

Sur la colline qui dominait les maisons, les tuyaux de canalisation gisaient, abandonnés. Les fortes pluies du printemps avaient interrompu l'installation des caissons et des conduits. L'adduction d'eau courante surviendrait trop tard. Les conséquences funestes d'une coupable négligence avaient produit leur effet !

— Tessa, partez et envoyez-moi Burnside. Nous allons avoir besoin d'un médecin : le jeune docteur Staple est le meilleur praticien de la région.

J'étais incapable de m'en aller sans trouver un foyer temporaire pour la petite Betty. Dans six des huit chaumières du hameau, un membre au moins de chaque famille était atteint du mal. Seul le couple âgé qui occupait la dernière maison paraissait indemne et accepta d'héberger Betty. Je retrouvai Susannah près du puits.

— Je me demande à qui il appartient...

— A moi.

Je repris mon sac en tapisserie et, ayant complètement abandonné mon projet d'évasion, je me hâtai vers le manoir. A l'instant où j'émergeais de l'enchevêtrement d'arbres fruitiers et de fleurs qui envahissaient les abords du hameau, une femme maigre, en proie à une agitation profonde, s'élança vers moi : Mme Bateman. Elle s'aggripa à mon bras.

— Pouvez-vous venir ? J'ai fait tout ce que j'ai pu, tout tenté, mais je n'ai plus la force...

Je la laissai pantelante derrière moi et courus vers sa maison. Je grimpai l'escalier sans reprendre haleine. Reuben était étendu sur une couche basse, sous le toit pentu. La chambre était aussi étouffante qu'un four.

Reuben me regarda sans me reconnaître...

Le crépuscule était venu. Je me tenais sur le seuil de la chaumière des Bateman, surveillant la procession de mes serviteurs et de quelques habitants valides du hameau qui poussaient des brouettes ou portaient des paniers. Leurs silhouettes imprécises se mouvaient lentement à travers la fumée du feu géant dans lequel Burnside avait fait jeter toutes les denrées périssables et les literies provenant des foyers décimés par l'épidémie. Madame Bateman avait sorti une chaise à mon intention, mais je n'éprouvais aucune lassitude, ni le moindre besoin physique de me restaurer, uniquement possédée par la volonté d'éviter de nouveaux décès. La vue de Reuben menacé par une agonie aussi pitoyable que celle de Mme Porter m'avait insufflé l'irrésistible besoin de lutter pour le maintenir en vie. J'étais déterminée à ne reculer devant aucun sacrifice, même s'il me fallait pour cela vendre ou mettre en gage tous les objets de valeur accumulés par quatre générations de Jasmyn, ces Jasmyn cupides et âpres au gain, dévorés par une ignoble convoitise qui leur avait fait négliger leurs devoirs les plus élémentaires.

Quand le Dr Staple descendit après avoir examiné Reuben, il me gratifia d'un salut indifférent. Son manque de courtoisie envers la représentante des

Jasmyn aurait dû m'humilier, mais j'avais dépassé ce stade.

— Il n'a guère de chances de s'en sortir. Quelle misère ! Sa mère dit qu'il déambule depuis plusieurs jours, en proie à la fièvre et à une terrible migraine. C'est seulement aujourd'hui, à midi, qu'il a consenti à s'aliter. Il est épuisé et sous-alimenté. J'ai cru comprendre qu'il était employé à l'Hôpital royal ?

— Oui. Il veut devenir médecin et exercer sa profession ici, par la suite.

— S'il triomphe de cette épreuve, il aura là une tâche considérable.

Le Dr Staple était petit, sec et nerveux. Burnside l'avait amené d'une ferme située de l'autre côté de la vallée, où un cultivateur avait été grièvement blessé par la chute d'un arbre. Le médecin l'avait veillé toute la nuit et paraissait mortellement las.

— Je dois dire, mademoiselle Jasmyn, que vous avez laissé cet endroit se putréfier jusqu'à la destruction. Les pluies incessantes ont apporté des miasmes dans le cours d'eau, et les versants des collines exhalent des vapeurs nocives. Par cette chaleur moite, c'est un lieu de prédilection pour la multiplication des mouches. L'absence d'installations sanitaires a provoqué la pollution de l'eau. Par chance, nous avons madame Masson ; nous sommes en état de siège, et elle en a l'habitude ! Des sœurs de Sainte-Agnès viendront nous aider...

Nous dormions à la ferme, sur des lits bas amenés

du manoir. Susannah avait insisté pour m'obliger à rentrer chez moi chaque soir, mais j'avais refusé fermement. Pour moi, rien n'avait plus la moindre importance sauf le fait que la maladie devait finir par capituler. Si, de plus, Reuben se rétablissait, plus rien ne compterait. Même dans mes rêves les plus fous, je n'avais jamais imaginé que nous pourrions nous marier, lui et moi. C'était impossible. Pourtant, j'avais la certitude que nos vies étaient liées l'une à l'autre d'une manière qui n'avait rien à voir avec les circonstances. Nous pourrions bien être séparés et vivre dans des mondes différents, l'étrange sentiment qui nous avait rapprochés demeurerait aussi longtemps que nous serions en vie.

Susannah goûtait l'un de ses rares moments de repos dans la salle commune de la ferme. Une couche, un tapis et quelques faïences en avaient fait un foyer accueillant malgré sa simplicité spartiate.

J'étais occupée à faire briller la poterie offerte par Reuben, que j'avais apportée à la ferme et qui représentait un gentilhomme ressemblant à feu le prince consort.

Je demandai tout à coup à Susannah :

— Avez-vous entendu parler de quelqu'un qui aurait miraculeusement survécu à une telle épidémie ? demandai-je.

— J'ai moi-même eu la chance d'échapper à une épidémie de choléra à Lucknow, m'apprit-elle. Tandis que nous attendions pour embarquer, à Calcutta, j'ai été frappée d'une fièvre semblable. Heureusement, quand le navire est arrivé à quai, j'allais mieux, sinon le capitaine aurait refusé de me prendre à bord. Mais j'ai été malade pendant presque toute la traversée. En fait, j'avais une forte constitution, sinon je ne vois pas ce qui aurait pu me sauver !

Elle sembla rejeter ce pénible épisode ; elle n'avait pas pour habitude de s'attarder longtemps à ses problèmes personnels.

— Où avez-vous trouvé ceci ? demanda-t-elle en désignant la poterie.

— C'est un cadeau de Reuben.

— Il était votre palefrenier, n'est-ce pas ? Je me rappelle le jour où il vous a ramenée au manoir, après l'orage.

— Il n'aurait pas été palefrenier si sa famille n'avait pas été ruinée ! Vous savez, il est très intelligent !

Dans ces rares instants, il devenait possible de m'abandonner au rare plaisir de parler de Reuben. Comme un prisonnier qui a oublié la lumière du jour, j'affrontais le vide absurde de mon existence sans Reuben. Chacune de nos rencontres avait été obscurcie par la menace d'une séparation. Notre prochaine séparation risquait d'être définitive, irrémédiable.

— Si Reuben meurt, avouai-je, je ne pense pas que j'aurai le désir de continuer à vivre...

— Tessa !

Susannah s'était dressée et me fixait avec désarroi.

— Voulez-vous me faire comprendre que vous aimez... que vous aimez Reuben Bateman ? Voulez-vous dire que... la perspective d'épouser votre cousin Ashton ne vous rend pas heureuse ?

— Heureuse ? répétai-je férocement.

— Vous n'aimez pas votre cousin ? Mais alors, pourquoi avez-vous accepté de l'épouser ? Vous pouviez refuser ; une femme est toujours libre de dire non !

Pendant un instant, je fus incapable de me rappeler pour quelle raison un refus m'avait paru impossible.

— Il est trop tard ! Ashton ne voudra jamais me délier de ma promesse. Ce n'est qu'une affaire d'argent : le domaine, et le nom ! Si seulement je n'étais pas née Jasmyn ! Oh ! pourquoi ne m'avez-vous pas cachée, Susannah ? Pourquoi ne m'avez-vous pas gardée auprès de vous ? Vous auriez mieux fait de me laisser mourir pendant la révolte... Oui, j'aurais préféré mourir !

La sympathie qu'elle me portait devait être beaucoup plus profonde que je ne l'avais imaginé. Elle se leva et s'approcha de moi, puis soudain, recula et s'affala sur une chaise, livide, courbée par le désespoir comme si un souffle mortel venait de l'abattre. Je courus chercher le coffret à remèdes, croyant qu'elle venait d'avoir un malaise.

— Susannah, vous avez trop travaillé, vous êtes épuisée ! Je vous en supplie, restez ici cette nuit et reposez-vous !

Elle leva lentement la tête et but docilement la potion calmante que je lui tendais. Je couvris ses

épaules d'un châle mais elle refusa toute autre aide.
J'étais sur le point de la quitter quand l'une des ser-
vantes du manoir se présenta à la porte. Elle était
envoyée par Emma pour me rappeler que M. Jasmyn
devait arriver le lendemain. Il me fallait rentrer.

Je pris instinctivement le chemin qui menait chez
les Bateman. Le Dr Staple sortait de l'une des chaumières et détachait son cheval. Je vis avec étonnement
Susannah courir vers lui ; il sortit de son sac un bloc
de papier, une plume et un encrier de poche, puis il
accompagna Susannah dans le jardin. Il prit place sur
le muret, tandis que Susannah écrivit hâtivement
quelques lignes, et lui remettait le feuillet avec quelques pièces de monnaie. Malgré sa lassitude, elle ne
s'épargnait aucun effort pour venir en aide aux malheureux qu'elle avait pris en amitié.

Madame Bateman somnolait dans son fauteuil,
près de la fenêtre. Pour la centième fois, je grimpai
l'escalier raide et m'arrêtai sur le seuil de la petite
chambre.

— Reuben... C'est moi, Tessa !

J'eus l'illusion qu'il me reconnaissait enfin et
j'éprouvai une joie ineffable qui subsista, même
quand il referma les yeux.

— Madame Bateman, je crois qu'il va mieux !

J'attendis pendant qu'elle montait l'escalier, et
nous demeurâmes immobiles sur le seuil, comme en ce
jour d'été où j'avais trouvé là un refuge et que nous
avions vu Reuben, éclatant de vigueur, grimper agile-

ment la colline. Il m'avait soulevée aussi facilement qu'une enfant, ce que j'étais en réalité : une enfant ignorante, à l'esprit léger, endormie dans sa quiétude, indifférente aux besoins des autres. Si Reuben vivait, je n'aurais plus rien à désirer. Je venais de franchir la barrière d'égoïsme et d'indifférence qui me séparait des misères d'autrui.

— Maintenant, vous allez rester à la maison, mademoiselle... madame...

Bien qu'ayant corrigé sa manière de s'adresser à moi, Emma n'avait rien changé à l'intonation ferme et persuasive dont elle usait avec soin depuis ma prime enfance.

— Il faut prendre du repos et veiller à votre chevelure et à vos mains !

C'était presque un ordre :

— Monsieur Jasmyn ne doit pas vous voir sous cet aspect négligé ! Je n'ai pas besoin de vous rappeler l'événement qui doit avoir lieu mercredi prochain, n'est-ce pas ?

Oublier le hameau en état de siège et consacrer toute mon attention à mon mariage et à mon futur époux exigeait un effort de volonté au-dessus de mes possibilités. A cet instant des coups furent martelés contre la porte qui donnait à l'arrière de la maison, et Steadman apparut.

— Mademoiselle, voici un message de madame Masson pour vous dire que l'état de Reuben Bateman vient de connaître une légère amélioration !

Dans ma gratitude infinie, dans cette renaissance

de bonheur que je connaissais enfin, je n'eus pas tout
de suite conscience des gestes d'Emma et du cocher
qui traînaient un grand coffre dans le vestibule.
Emma m'adressa un sourire réjoui.

— C'est votre robe de mariée, mademoiselle ! Je
dois dire que, depuis des semaines, vous n'avez jamais
paru aussi heureuse qu'aujourd'hui !

CHAPITRE XI

Quand Ashton arriva au manoir, mon apparence avait encore dû changer.

— Tessa ! Tu as l'air d'un spectre ! s'écria-t-il.

Il m'embrassa avec gêne.

— Tu n'as pas visité ces horribles chaumières, j'espère ?

Pour éviter de répondre directement, je fis quelques remarques au sujet du sinistre.

— Oui, en vérité, c'est un affreux malheur, convint-il. L'ennui est que, dès le printemps prochain, ces chaumières auraient dû être détruites ! Les paperasseries traînent en longueur, mais Packby a l'intention de commencer l'exploitation de la carrière en utilisant certaines parcelles de terrain situées sur le domaine, jusqu'à ce que nous puissions obtenir l'intégralité des terres. J'ai songé à la ferme Roper. Quelle est ton opinion ?

A l'heure du dîner, nous nous retrouvâmes face à face, séparés par toute la longueur de la table,

Mme Arrow, placée entre nous, inclinant la tête avec sympathie tandis qu'il évoquait l'avenir de Betony.

En l'écoutant pérorer, j'étais parfaitement consciente de l'abîme qui nous séparait, Ashton était trop fort pour moi. J'avais échappé à une forme de tyrannie pour en affronter une nouvelle. Et celle-là durerait beaucoup plus longtemps. Je déclarai brutalement :

— Nous devons absolument faire quelque chose pour Betty Porter, et j'ai bien peur que Tim Wagstaff soit lui aussi sans foyer. Son père est mort hier.

— Pauvre garçon ! Mais tu ne dois pas être mêlée personnellement aux problèmes de ces gens-là !

— J'y suis personnellement mêlée : la vision du hameau ravagé par l'épidémie me hantera jusqu'à mon dernier jour !

— Vraiment, tu exagères, Tessa… Des épidémies de ce genre ne sont pas rares, en cette saison. On peut dire d'ailleurs que c'est une des caractéristiques de la vie campagnarde, fort regrettable, bien entendu ! Nous trouverons un foyer pour tes orphelins, et tu pourras leur envoyer de la soupe, des marmelades et toutes sortes de bonnes choses. Mais reste à l'écart de cet endroit maudit, je t'en prie. A ta place, j'essayerais de passer une bonne nuit ; tu as l'air d'être éreintée. Au fait, c'est drôle, ce retour de madame Masson ! Elle se rend utile, n'est-ce pas ? Steadman m'a dit que…

Quand Ashton sortit pour prendre l'air, après le dîner, Mme Arrow s'autorisa une remarque :

— Quelle chance que monsieur Jasmyn prenne

tant d'intérêt à la gestion du domaine ! Je ne sais pas ce que vous feriez sans lui... Il deviendra vraiment le maître de Barmote...

Je l'abandonnai à son tricotage et gagnai ma chambre. Le feu avait été préparé ; je l'allumai et regardai les flammes s'élever. Il faisait encore jour, car nous avions dîné tôt mais, en dépit du temps orageux, la maison demeurait fraîche. Je m'approchai de la fenêtre pour la refermer et humai l'odeur du cigare d'Ashton ; il devait se trouver juste en bas, sur la terrasse. En me penchant, je distinguai le sommet de sa tête blonde, puis sa silhouette quand il s'éloigna vers le portail du parc : le maître de Barmote chez lui, parfaitement à l'aise dans son rôle ! Il avait attendu bien longtemps, mais la longue attente s'achevait. En dépit de sa mesquinerie, Ashton n'était pas mauvais. De toute manière, bon ou mauvais, il allait devenir mon mari !

Tandis que je l'observais, le cours de ma vie changea... Le temps paraissait soudain suspendu, comme une nappe d'eau dormante qui stagne avant de se déchaîner en un flot impétueux. C'était impensable, impossible : je ne pouvais pas, je ne pourrais jamais épouser Ashton ! Peu importaient la gravité de mon serment et l'engagement qui me liait à mon cousin. Si c'était un blasphème de briser une promesse faite au nom du Seigneur, alors Dieu était tourné en ridicule. Je venais enfin de comprendre que ce serment n'avait rien à voir avec l'expression d'une piété sincère.

Deux fois auparavant, j'avais rassemblé mes for-

ces dans l'espoir d'une fuite sans retour : la première
fois, j'avais déclenché par mes pensées impies un terrible orage et la seconde j'avais tué ma grand-mère.
Ces deux expériences désastreuses m'avaient enseigné
à ne plus provoquer le sort, par crainte d'une troi-
sième catastrophe. Pourtant, rien ne pouvait m'arrêter désormais. Quoi qu'il arrivât, je devais me libérer
avant qu'il fût trop tard ! Tout d'abord, il me fallait
parler à Ashton !...

   J'allai à la fenêtre et l'ouvris. Pourquoi pas tout
de suite ? Ashton avait franchi le portail et paraissait
observer un arbre dont l'épais feuillage projetait une
ombre dense sous le soleil à son couchant. D'où
j'étais placée, j'avais l'impression que ses lèvres
remuaient. Il y avait quelqu'un, dissimulé dans la
pénombre, une femme dont j'entrevoyais le bas de la
robe. Ashton fit quelques pas vers elle, et ils se perdi-
rent sous les frondaisons. Dans l'état d'intense exaltation où je me trouvais, je n'éprouvais pas la moindre
curiosité envers l'inconnue. Pourtant, une vague
intuition me fit songer à Susannah... Sans doute
prenait-elle l'air avant d'aller se reposer et avait-elle
rencontré fortuitement Ashton. Je devrai attendre
pour parler à mon fiancé.

   Distraitement, je parcourus ma chambre du
regard et remarquai que la traîne de ma robe de
mariée était coincée dans la porte de la garde-robe.
J'allai dégager la gaze vaporeuse, et ce faisant, je
découvris le paquet que j'avais relégué là quelques
jours plus tôt sans daigner l'ouvrir. Je le jetai sur le

divan placé près du feu, comme s'il m'avait brûlé les doigts. Il faudrait remercier le donateur et le renvoyer, comme tous les autres présents. Il y aurait bientôt une nouvelle annonce dans le journal mais c'était là le moindre de mes soucis.

Le retard imposé pour parler à mon cousin avait ébranlé ma résolution ; n'était-il pas plus sage et plus courtois d'attendre le lendemain matin ?

Je descendis silencieusement et pris dans le chiffonnier du boudoir le cornet à dés utilisé pour le jeu de jacquet. Si je sortais un nombre impair, je parlerais à Ashton sur-le-champ. Dans le cas contraire, j'attendrais jusqu'au matin. Je lançai les dés en frémissant : un double six ! Je poussai un soupir de soulagement. Je venais juste de ranger les dés quand Ashton pénétra dans la pièce.

— Tessa, je désirais te voir...

Il parlait d'un ton absent. Son visage était empourpré, non pas, comme je le crus tout d'abord sous l'effet du brandy, mais à cause d'une nervosité excessive.

— Ma chère Tessa...

Il prit ma main puis l'abandonna comme s'il avait commis une erreur. Ses traits étaient crispés, prouvant qu'il se faisait violence afin d'annoncer une nouvelle désagréable. Il se décida brusquement :

— Tessa, j'ai eu souvent l'impression que l'idée de notre mariage t'était... comment dire... déplaisante. Tu n'as jamais paru très enthousiaste, n'est-ce pas ?

J'attendis, en proie à une prémonition extraordinaire.

— Nous avons une grande différence d'âge. Il m'est souvent venu à l'esprit que je n'étais peut-être pas l'homme capable de te rendre heureuse. Oh ! je sais, ce n'est pas le moment d'aborder un tel sujet et tu dois me juger vil de l'évoquer seulement aujourd'hui : tu as ta toilette de mariée, nous avons reçu de nombreux cadeaux de mariage. Mais, vois-tu, c'est tout de même préférable. Après, il serait trop tard...

L'affection que je portais à Ashton m'empêchait de laisser voir la pitié qu'il m'inspirait. Pourtant, personne n'était mieux placé que moi pour apprécier son embarras devant le dilemme dont il venait de me délivrer, d'une manière aussi subite qu'imprévue.

— Tu es charmante, Tessa. Et je suis malheureux de te voir supporter ma présence avec une telle soumission. Je crois que tu as montré trop de résignation... Je crois qu'il est préférable que nous rompions nos fiançailles plutôt que de nous marier et de le regretter par la suite.

Ayant franchi l'obstacle le plus pénible, il humecta ses lèvres et regarda au loin avec le soulagement d'un homme qui a fait preuve de courage.

— Ashton, balbutiai-je, tu sais bien que grand-mère m'a tout légué...

L'espace d'un instant et inexplicablement, puisqu'il venait de se comporter pour la première fois d'une manière désintéressée, je fus frappée pas sa ressemblance avec Rodney Jasmyn.

— Je pensais que tu... envisageais de t'occuper du domaine.

— Pour être tout à fait sincère, j'y comptais, oui...

L'adjectif « sincère » sonnait faux ou, plutôt, il attirait mon attention sur des pensées qu'il n'osait formuler. Depuis qu'il avait l'âge de raison, Ashton attendait Barmote. Qu'est-ce qui avait bien pu le faire renoncer aussi brusquement ? Mon silence dut l'alarmer, car il poursuivit :

— Crois-moi, Tessa, si je n'avais pas la certitude que c'est la seule solution valable, j'éprouverais une honte amère à te causer une telle humiliation, plus particulièrement alors que...

Quelque chose qui m'échappait l'empêcha de continuer sa phrase. Ashton avait pris mon rôle, j'allais donc assumer le sien...

— Tu ne dois surtout pas te faire du souci à mon sujet, dis-je en retirant la bague de mon doigt. Je te rends ta parole et je te souhaite beaucoup de bonheur, Ashton !

Il repoussa le bijou.

— Non, non... tu dois la garder, je t'en prie, en témoignage de notre longue... (il avait des difficultés à trouver un terme adéquat pour définir nos curieuses relations). D'ailleurs, tu pourrais... Ton avenir...

Il ne trouvait pas l'expression idéale pour se justifier et il se décida à quitter la pièce, l'air las.

Paradoxalement, ce revirement subit, au demeurant inexplicable, me laissait déprimée, alors que j'aurais dû en éprouver de la joie. Epuisée par toutes ces émotions contradictoires, je trouvai un certain soulagement dans une crise de larmes et en arrivai à me féliciter de ne pas avoir pris moi-même l'initiative de la rupture.

Les domestiques avaient regagné leurs chambres. Je pris une chandelle dans la grande salle et l'allumai. Tandis que la flamme vacillait, j'hésitais, répugnant à gagner l'étage, jusqu'au moment où j'eus conscience, grâce à la faible lueur, d'être guettée...

Faces énigmatiques peintes sur les vases de porcelaine, perruches aux yeux glacés, danseuses immobiles... jardin exotique du portrait. Le manoir leur appartenait. Comment grand-mère avait-elle pu imaginer qu'il deviendrait un jour ma propriété ? Nuit après nuit, année après année, ils seraient là, à me surveiller, lorsque j'allumerais ma bougie pour regagner ma chambre solitaire. Au fil du temps, ils assisteraient à ma déchéance, témoins impassibles de ma jeunesse fanée, jusqu'à ce que je devinsse une vieille femme vêtue de noir, la taille ceinte d'une châtelaine, identique en tout point à grand-mère.

Dans ma chambre, je ranimai le feu et approchai le divan de l'âtre, le paquet que j'y avais déposé l'encombrait encore. J'éprouvai pour la première fois quelque curiosité envers son donateur. Je pris les ciseaux dans ma boîte à ouvrage et coupai la cordelette. Il contenait une boîte ovale entourée de papier

de soie et une lettre. Ce ne fut pas le contenu de la
boîte qui retint tout d'abord mon attention, mais la
vue de l'écriture du colonel Darlington.

Chère Tessa, disait le message, *vous devez
vous étonner de mon long silence. Je suis encore en
convalescence à la suite d'une nouvelle crise qui m'a
obligé à rester alité pendant presque une année
entière. L'annonce de votre mariage, parue dans le
journal, m'a fait réaliser ma coupable négligence. J'ai
été profondément ému en lisant la chronique nécrolo-
gique dédiée à madame Jasmyn. J'ignorais qu'elle
était morte.* (Il exprimait ses condoléances). *Ce présent ne sera pas une surprise pour vous. Ne m'en
remerciez surtout pas : je n'en suis pas le véritable
donateur, simplement l'instrument.*

Je défis l'emballage et contemplai l'objet. Il semblait immatériel et nimbé de mystère : un signe surgi
d'un autre monde.

La lueur des flammes illuminait le message du
colonel et le cadeau qui y était joint, une aquarelle
dans un cadre doré. Au dos, mon correspondant avait
écrit : *Voici le portrait d'Alice... Une ressemblance
frappante !*

Elle portait une longue tunique de dentelle ivoire,
sa dernière toilette de bal sans aucun doute, et une
pierre rouge brillait sur sa gorge. Les traits finement
ciselés offraient, pour reprendre l'expression du colonel Darlington, une ressemblance frappante avec,..
Kate !

Le colonel avait ajouté : *Vous ressemblez telle-*

*ment à votre mère que quand je vous ai vue, installée
à votre chevalet, à l'occasion de notre heureuse rencontre dans la cour de l'église, j'ai cru voir Alice en
personne. Peut-être êtes-vous moins expansive... En y
réfléchissant, je regrette de m'être montré aussi
bavard, mais pardonnez à un vieil homme sentimen-
tal. Vous avez eu l'infinie bonté de me prier de conserver l'aquarelle puisque j'y suis attaché. Mais j'estime
qu'elle vous appartient, désormais et que le vœu de
votre mère doit être enfin exaucé...*

Ce présent était destiné à Kate, non à moi. Je fris-
sonnai et pris un châle posé sur une chaise. Le châle
de Kate, sa chaise, sa chambre, sa maison, son héritage. Kate était non seulement plus intelligente que
moi, puisqu'elle avait compris immédiatement la
signification de sa rencontre avec le colonel Darlington, mais elle était aussi plus noble : elle était partie
sans rien dire, en m'abandonnant tout, à moi qui ne
savais que gémir : « je suis Tessa, Tessa Jasmyn ! »,
affirmation dérisoire et fallacieuse comme le chant du
coucou.

Une intuition me suggéra que si Kate était la fille
d'Alice Jasmyn, je ne pouvais être que celle de Susannah. Cette pensée ne m'apporta nul réconfort, juste
une appréhension redoutable au sujet de mon identité
réelle. J'avais besoin d'être persuadée que j'étais au
moins Tessa, sans plus... N'était-ce pas mon véritable
prénom, mon unique bien personnel puisque je ne
possédais plus rien d'autre ?...

L'horloge de la tour de Rodney Jasmyn sonna

minuit. L'heure des métamorphoses. Etait-il encore possible que je devinsse une autre personne, un être totalement différent ? Que je brise ma coquille et que je m'en libère ?

L'aube pointait quand je descendis vers le village. Les croisées des chaumières contaminées étaient encore éclairées par les bougies et le feu des cheminées. A travers la fenêtre de la cuisine des Wagstaff, j'aperçus Susannah penchée sur le lit installé contre le mur. Elle m'aperçut et sortit pour me rejoindre. Nous prîmes place sur le banc, sous la fenêtre. Elle retira les bandeaux de lin qui ceignaient son front, et ses cheveux emmêlés retombèrent. Ses joues étaient creuses, ses yeux profondément enfoncés dans les orbites ; elle devait avoir le même air hâve quand elle était revenue des Indes.

— Avez-vous vu monsieur Jasmyn ?

Sa voix exprimait une lassitude extrême.

J'acquiesçai et ajoutai :

— Il a rompu nos fiançailles.

— J'étais sûre qu'il vous libérerait quand il aurait écouté ce que j'avais à lui dire. J'ai télégraphié à Kate de revenir.

Je constatai qu'elle était terriblement agitée.

— Quand elle sera là, j'aurai encore quelque chose à vous dire, à toutes les deux...

— Ce n'est pas nécessaire. Je sais la vérité. Vous êtes ma mère, n'est-ce pas ?

Trop avide de connaître la vérité, je n'accordais

pas la moindre attention à ce qu'elle pouvait ressentir. Je lui tendis la lettre et la miniature :

— Il y a déjà longtemps que Kate est au courant.

Elle eut brusquement l'air très malade, et ma brutalité m'effraya. Pourtant, elle prit la lettre que je lui tendais et la lut jusqu'au bout. Des larmes coulèrent en abondance sur ses joues tandis qu'elle contemplait l'aquarelle. Elle murmura :

— Alice Jasmyn, pardonnez-moi !

Elle releva la tête.

— Je tremble de devoir avouer la vérité à Kate... Elle me pardonnera, mais refusera de comprendre. Peut-être pourriez-vous...

Elle attendit, découragée par mon silence.

— Vous voyez ce sentier qui monte jusqu'ici, à travers les sorbiers ?

Il n'y avait pas encore suffisamment de clarté pour discerner le paysage, mais je connaissais par cœur le chemin qui conduisait de la ferme à la route carrossable.

— De là-haut, je guettais le passage des privilégiés qui venaient en visite au manoir. Elle, en particulier, quand elle est venue y vivre, toute jeune mariée. Je n'éprouvais ni envie ni jalousie. Leur position sociale, l'existence facile qu'ils menaient, tout cela était tellement éloigné de ma condition misérable... C'était plutôt comme une vision surnaturelle, ou une sorte de jeu... Des années plus tard, lorsque Madame Jasmyn est venue à l'auberge de Gravesend, j'ai eu la même réaction. Je regardais par la fenêtre quand elle est descendue de voiture. C'était comme si le même jeu recommençait. Elle paraissait terriblement sûre d'elle... C'est alors que je l'ai enviée, pour la première fois. Je n'étais plus qu'une morte vivante...

Susannah était si lasse que sa voix était fêlée, presque méconnaissable...

— J'ai emmené Kate dans l'autre chambre pour éponger son visage et tenter de la ranimer un peu. Je vous ai laissée dans un fauteuil. Cependant, le médecin guidait madame Jasmyn dans l'escalier. Ce n'est qu'en entendant l'autre porte s'ouvrir que l'idée de ce qui allait se passer m'effleura. Elle s'attendait à voir pour la première fois sa petite-fille ; elle vous verrait en premier. Vous étiez... vous étiez irrésistible, dit-elle en avançant la main pour prendre la mienne. Le docteur Hoggatt a dit : « C'est la petite Tessa. »

Ainsi, j'étais réellement Tessa ; cette certitude me donna un regain de vie.

— ... Puis il a baissé la voix mais j'ai quand même entendu ce qu'il disait : « La nourrice est en train de soigner l'autre fillette, à côté. J'ai bien peur qu'elle ne soit à l'agonie, madame Jasmyn ! Il n'y a pas le plus faible espoir, j'en suis navré pour vous ! » Il s'en alla et, après son départ, j'ai entendu dire madame Jasmyn balbutier : « Mon amour de bébé, belle enfant... » J'ai pensé que tout se passait comme si le destin m'avait effacée, comme si j'étais réduite à l'impuissance ! En une seconde, j'ai évoqué toutes les misères endurées dans mon enfance et j'ai songé qu'elles seraient rachetées par votre propre bonheur.

J'éprouvais tout à coup une fierté démente à l'idée que ma propre enfant était supérieure à n'importe lequel des Jasmyn. Et puis j'avais déjà perdu un enfant, un petit garçon, et cette mort m'avait culpabilisée. Je voulais avant tout vous épargner. L'avenir m'apparaissait clairement : Kate allait mourir et moi également. Vous, vous seriez protégée, riche, adulée... Et vivante.

Elle parut se voûter un peu plus.

— Quand je suis revenue dans la chambre, les premiers mots de madame Jasmyn ont été : « Elle me connaît déjà. Je remercie Dieu pour ce don miraculeux ! » Vous vous êtes dressée et vous avez tiré sur les rubans de son bonnet ; elle a pleuré d'émotion. Aucun doute : elle vous aimerait éperdument ! Elle n'était pas encore ce qu'elle est devenue par la suite. Pourtant j'aurais dû deviner...

— Pauvre grand-mère ! balbutiai-je, émue.

— Elle n'était pas votre grand-mère ! rectifia Susannah.

— Evidemment, reconnus-je.

Mais mon attachement à la disparue avait été si puissant qu'il m'était impossible d'admettre que nous n'étions pas liées par le sang et, surtout, qu'elle était la grand-mère de Kate et moi une étrangère.

Tout à coup, Susannah sembla lointaine. Elle ajouta d'un ton amer que je ne lui connaissais pas :

— Elle était sans pitié. Quand je lui ai proposé de préparer vos vêtements, elle m'a dit qu'elle n'avait besoin de rien... sauf de vous ! Elle a forcé ma main pour y enfouir de l'argent, une somme que je déposai par la suite dans le tronc pour les pauvres de l'église la plus proche. Elle ne m'a même pas autorisée à vous serrer dans mes bras pour un dernier baiser.

— Et personne n'a su ?

— Si ! le docteur Hoggatt. Après son départ, il m'a rejointe. Il paraissait abasourdi et m'a proposé de la rattraper pour mettre les choses au point. C'était un brave homme, tellement accoutumé aux souffrances d'autrui, qu'il n'a pas cherché à me juger, et il s'est tu. Plus tard, beaucoup plus tard, quand j'appris vos fiançailles, j'ai éprouvé la conviction que j'avais bien agi : vous alliez devenir une vraie Jasmyn avec la bénédiction du Ciel. J'ai pris soin de Kate comme si elle était ma propre fille. Quand elle a recouvré peu à peu la santé, j'ai réalisé l'ampleur de ma trahison envers sa mère et ma faute qui la dépossédait de son dû. Elle s'appelait Alice Kate, mais peu à peu, j'ai pris l'habitude de la nommer Kate afin d'oublier ses origines...

— Kate n'aurait peut-être pas survécu si elle avait été à ma place...

Devinant son besoin d'être rassurée, je cherchais des mots de consolation :

— Personne ne l'aurait soignée comme vous l'avez fait !

— C'est vrai. J'ai lutté âprement pour sa survie. Mais vous serez toujours persuadée que j'ai eu tort, que je vous ai reniée. Vous ne pourrez jamais me considérer comme votre mère !

Je ne pouvais pas nier cette évidence.

— Auriez-vous avoué si vous n'aviez pas voulu m'épargner ce mariage ?

— Jamais. Je croyais que j'avais bu la coupe jusqu'à la lie, mais hier, quand vous avez dit : « Si seulement je n'étais pas une Jasmyn… », j'ai compris que c'était mon châtiment et que finalement, j'avais tout perdu.

Elle caressa avec indifférence les bandes de lin déposées sur ses genoux et replaça ses cheveux décoiffés avec un geste intinctif qui me rappela vaguement l'élégante Mme Masson parée de ses atours impeccables et de ses exquises capelines, ainsi que sa voix savamment modulée quand elle déclarait : « Oui, j'ai une fille très belle, très intelligente… Il n'y a rien au monde, aucun sacrifice qui ferait hésiter une mère pour le bonheur de son enfant ! »

La lumière cruelle du jour accentuait la pâleur de son teint jaune et soulignait chaque ride de son front. Je pris sa main. Nous regardâmes le ciel devenir bleu et les collines reprendre forme, comme elle avait dû le faire jadis en se rendant au puits, chargée du joug de bois, avant de s'engager sur la route aventureuse qui avait fini par la ramener à son point de départ.

CHAPITRE XII

Comme je prenais la route de *Gib cottage,* je trouvai Reuben qui m'attendait. Il s'empara de mon panier et m'offrit son bras.

Son beau visage était hâlé après plusieurs jours passés au grand air, mais il avait conservé son aspect délicat.

— Cher Reuben, êtes-vous certain que vous êtes suffisamment rétabli ?

— Tout à fait. Cette dernière semaine, j'ai senti la différence, comme si mes jambes avaient retrouvé leur vigueur. Seulement, je pars aujourd'hui, Tessa... Par le train du soir ; j'ai déjà perdu trop de temps !

— J'avais espéré que vous resteriez un jour de plus, murmurai-je humblement.

— Je dois partir : c'est dans les cartes de Tante Abbie...

— Mademoiselle Cade n'a pas toujours raison ! N'a-t-elle pas affirmé que vous alliez vous marier ?

— Peut-être, un jour...

Pour la première fois, j'envisageais l'avenir avec sérénité, même s'il m'apparaissait lointain !

— Je songerai à me marier d'ici à quelques années..., murmura Reuben ; si je trouve une épouse appropriée.

— Appropriée ? répétai-je, alarmée.

— En qualité de médecin, j'aurais besoin d'une épouse digne de ma position ; ce n'est pas facile à découvrir !

— Mon père n'était qu'un simple soldat. Comme vous le savez, Reuben Bateman, il était sergent dans l'Armée des Indes de Sa Gracieuse Majesté !

Il me contempla en souriant malicieusement :

— Mais votre mère était domestique, Tessa Drew ! Je dois préciser : dans une excellente famille, certes ; n'est-ce pas un privilège de travailler pour ces merveilleux Jasmyn ?

Il redevint sérieux et parla avec gratitude de la générosité de ma mère. Elle l'avait persuadé d'accepter un prêt modeste qui lui permettrait de payer sa pension et ses livres d'études.

— Quand j'aurai économisé suffisamment pour me mettre à mon compte, je m'installerai ici. M'attendrez-vous, Tessa ? Je vous aime depuis plus de sept ans. M'attendrez-vous ? répéta-t-il.

— Je vous aime, Reuben, et je ne sais pas comment je vais pouvoir vivre sans vous. Il n'y a pas d'autre endroit au monde où je désirerais vivre. Après tout, je suis également une Cade et j'aime ce pays au même titre que vous.

Il comprit aussitôt mes réticences.

— Mais vous semblez hésiter ?

— Je ne veux plus m'engager et je ne veux surtout pas être trop aimée ! Quand l'amour est excessif, il devient despotique.

— Vous pensez que c'est ma soif d'amour qui m'a conduit aux portes de la mort ?

— Non, bien sûr que non. Et ce n'était pas non plus l'amour qui m'a fait veiller sur vous nuit et jour ! Mais parfois il arrive que les gens aiment démesurément et qu'ils imposent leur amour aux autres avec une avidité égoïste...

— Alors, ce n'est plus de l'amour ! Que je sois à Londres ou ici, chaque pierre, chaque brindille d'herbe, tout ce que je vois est lié aux pensées que je vous dédie... Vous êtes partout où je suis. Mais si je vous aimais trop, je ne partirais pas là-bas !

Il m'embrassa et nous nous dîmes adieu. Alors, éprouvant l'angoisse de cette séparation, j'oubliai ma répugnance à m'engager et lui jurai de l'attendre pour toujours. Je le regardai disparaître, puis séchant mes yeux, je revins vers la colline afin de rendre visite à Kate.

Je ne l'avais pas vue depuis un certain temps. Les modifications apportées à *Betony Hay* et notre emménagement m'avaient pris presque tout mon temps depuis l'été et j'avais passé mes rares loisirs en compagnie de Reuben. D'ailleurs, Kate ne résidait pas régulièrement ni officiellement au manoir. La complexité juridique de sa situation s'éternisait. Monsieur Paw-

ley, le notaire la qualifiait d'affaire « détestable ».
Selon Burnside, cette tâche difficile le faisait vieillir
avant l'âge, bien qu'il n'existât pas d'autre prétendant
à l'héritage des Jasmyn. Le témoignage du colonel
Darlington avait été corroboré par celui du vieux
Dr Hoggatt. Tous deux, alléguant la ressemblance de
Kate avec Alice Jasmyn, avaient soutenu l'histoire
narrée par Susannah. Le transfert des droits de propriété n'était pas nécessaire puisque je n'avais jamais
succédé officiellement à grand-mère ni pris possession
du domaine, mais il était question d'enregistrements
sous serment et sur papier timbré et, d'autre part, le
libellé du testament compliquait encore le déroule-
ment des opérations notariées. Cependant, Kate
s'arrangeait pour passer beaucoup de temps au
manoir.

Lorsque j'avais évoqué sa merveilleuse générosité
à n'avoir pas réclamé son héritage, son visage s'était
légèrement altéré et, elle m'avait déclaré :

— Oui, j'ai fait preuve d'une « merveilleuse générosité », ce qui m'a permis de m'élever moralement.
Mais, si c'était à refaire, je serais bien incapable de
recommencer ! Naguère, cet altruisme me paraissait
logique mais, à présent que les circonstances ont
changé, il me paraît juste et normal de profiter de ce
qui m'appartient. Et pourtant, Tessa, qu'une chose
soit juste ou injuste ne devrait pas dépendre de certaines circonstances...

Kate me reçut chaleureusement. Comme je pénétrais dans la grande salle, j'eus une exclamation de dépit et mon ancien antagonisme se ranima :

— Oh ! vous l'avez remise en place !

Kate suivit mon regard fixé sur la peau de tigre et murmura avec embarras :

— Je l'ai découverte au grenier. Ne pensez-vous pas qu'elle convient parfaitement à cette pièce ?

Sachant que Kate avait prévu d'utiliser le petit salon, je me dirigeai vers l'escalier. Elle protesta :

— Non… Allons dans le boudoir, il est plus confortable. J'ignore pour quelle raison, mais le vent souffle trop fort dans les pièces du haut !

Elle me désigna mon ancienne place et s'installa dans le fauteuil de velours cramoisi, près du guéridon chargé de livres saints.

— J'ai consulté les papiers ; il y a de nombreuses factures !

Elle ajouta avec une moue qu'un relevé de la Compagnie des eaux l'avait intriguée et choquée par son montant élevé. Elle avait changé d'apparence. Après s'être demandé anxieusement si elle devait ou non porter le deuil, elle y avait renoncé mais avait modifié sa garde-robe ; ses nouvelles toilettes étaient en général sombres et ternes. De plus, et je le déplorais, elle avait l'air tourmenté.

— Le cousin Ashton estime que ces charges d'eau sont excessives ! précisa-t-elle.

— Ashton ? Il est venu ?

— Nous nous sommes rencontrés à Londres, par hasard. Il s'est montré tout à fait charmant et m'a

proposé son aide. Ainsi qu'Ashton me l'a fait observer, en tant que curateur, il a une profonde connaissance des affaires de la famille ; il m'a offert de venir
à Barmote.

— C'est fort aimable de sa part.

C'était peut-être beaucoup plus. Malgré sa récente
expérience, Kate était trop candide pour imaginer que
les gens n'étaient pas toujours tels qu'ils paraissaient.
Bien qu'ayant comporté de nombreuses lacunes, mon
éducation m'avait au moins appris cela.

Kate désigna des écrins posés sur le guéridon :

— Tessa, je voudrais que vous choisissiez un
bijou, vous avez probablement une préférence ?

Elle les déposa sur le tapis de table en les maniant
avec un orgueil de propriétaire : les rangées de perles
fines, le peigne en jade, le pendentif d'or en forme de
demi-lune.

— C'était mon préféré...

— Oh ! vraiment ? Eh bien ! il est à vous, dit-elle
avec un peu trop de vivacité et d'enthousiasme.

Paradoxalement son expression demeurait réservée et son regard froid. Je reposai le collier sur la
table.

— Quel dommage ! fit-elle avec un rien de hargne
qui sonna comme une litanie familière, oui, quel malheur que ce splendide rubis ait disparu !

L'aquarelle que Kate avait placée au-dessus de la
cheminée montrait la pierre brillante sur la poitrine
d'Alice Jasmyn telle une goutte de sang. Maintenant
je découvrais dans les traits d'Alice Jasmyn une

volonté farouche. En dépit de l'adversité, elle avait gagné : l'immense vague de catastrophes qui avait déferlé sur Lucknow, emportant pour toujours tant d'espérances, avait épargné la fragile miniature qui, par des voies détournées, était revenue à sa fille. Et Barmote lui appartenait, à elle seule — au moins pour un certain temps...

Je replaçai les joyaux dans leur écrin et poursuivis mes propres desseins :

— Croyez-moi, Kate, je préfère ne posséder aucun objet de valeur, pas plus un bijou qu'autre chose. Vous me comprenez certainement : j'ai le sentiment d'avoir occupé injustement votre place pendant toutes ces années et profité de biens qui ne m'appartenaient pas. Il me serait pénible d'en emporter un souvenir.

— Ce n'était pas votre faute !

Elle avait repris son ton persuasif, mais elle referma soigneusement et presque hâtivement les écrins et, si je me mépris en croyant lire du soulagement dans son regard, j'eus néanmoins la certitude qu'elle n'éprouvait aucun regret non plus.

— Je vous assure, je trouve injuste que vous ne gardiez rien !

— Si vous tenez absolument à m'offrir un présent, je préférerais une chose tout à fait ordinaire, qui conviendrait mieux à mon nouveau mode de vie. Un objet sans valeur et sans importance à vos yeux.

— Vous n'avez qu'à demander, ma chère Tessa.

— Il y a une parcelle insignifiante de terre, entre

la ferme et le cours d'eau ; pas plus d'un acre. Elle est inculte, recouverte de mauvaises herbes juste bonnes à nourrir quelques chèvres. Elle appartient aux Jasmyn mais, jadis elle était la propriété des Cade... En fait, tout ce que je souhaite au monde, c'est *Tod Corner !*

— Mais avec joie...

Cette fois-ci, son empressement n'était pas simulé :

— Sans doute avez-vous l'intention d'agrandir votre jardin, plus tard ? Je serai heureuse de vous l'offrir ; ce ne sera malheureusement pas possible avant l'achèvement des papiers légaux et...

— Et puis, vous pouvez changer d'avis ?

— Jamais ! C'est une promesse formelle, et je suis satisfaite que nous ayons trouvé quelque chose qui vous fasse réellement envie !

Elle abandonna son siège à haut dossier, et nous poursuivîmes notre conversation devant la cheminée. Elle était persuadée que, même sans la dramatique rencontre avec le colonel Darlington, elle aurait de toute façon découvert la vérité. En la voyant peindre dans la cour de l'église, le colonel s'était approché avec peut-être l'intention de se renseigner sur le chemin menant au manoir, puis s'était arrêté, saisi de stupeur, en s'écriant : « Alice Jasmyn ! N'ayez pas peur. Je suppose que vous êtes Tessa, mais vous ressemblez tellement à votre mère... » Il avait fouillé dans sa poche et lui avait montré la miniature.

— Tessa, me confia Kate, c'était terrifiant de contempler mon reflet sur ce médaillon ! La seule chose dont j'étais sûre, c'était que je ne devais rien dire par peur de faire souffrir quelqu'un : ou celle que je considérais comme ma propre mère, ou vous. Je venais de comprendre que nous étions toutes trois impliquées dans un imbroglio dramatique, et victimes d'une erreur lamentable.

Nous poursuivîmes l'évocation de ce sujet brûlant comme nous devions le faire à intervalles réguliers, durant les années à venir, puis ce fut l'heure de prendre congé.

Je grimpai à l'étage pour saluer Mme Arrow qui, sereinement et sans pour cela s'arrêter de tricoter, était devenue la dame de compagnie de Kate au lieu de la mienne. Je me rendis ensuite dans mon ancienne chambre pour y prendre quelques affaires personnelles. Emma m'y rejoignit ; elle se montra d'humeur affable et exprima son opinion après quelques remarques conventionnelles :

— Je ne suis pas de celles qui méprisent ceux qui ont subi des revers de fortune et je suis sûre que c'est dur pour vous de n'avoir aucun souvenir d'elle à conserver. J'ai mis ceci de côté.

Elle me remit le réticule de grand-mère. L'éclat de la moire était terni par la poussière. Je l'enfouis dans mon panier et redescendis dans la grande salle où Kate m'attendait, immobile au milieu des précieux vases de porcelaine. Elle se montra fort discrète et fit presque preuve de timidité :

— Je voulais vous demander, Tessa : avez-vous entendu parler de cette histoire concernant un seigneur indien, venu exiger ses droits sur le domaine ?

Je la rassurai :

— Ce n'est qu'un conte absurde, une légende pour égayer les veillées villageoises. N'y pensez pas : il n'a jamais existé !

Je la quittai sur le perron, silhouette pâle se découpant contre l'ombre pittoresque de la maison. Je songeai qu'en la voyant ainsi, grand-mère aurait immanquablement dit qu'il lui faudrait un époux convenable sous tous rapports — et je dois le confesser, cette pensée me procura une certaine béatitude.

Comme j'atteignais le tournant qui menait au village, je vis une voiture gravir la colline. Je me rangeai sur le bas côté de la route pour la laisser passer. Arrivé à ma hauteur, le cocher se pencha légèrement et demanda :

— Le pavillon de Barmote, s'il vous plaît ?

Tandis que je le renseignais, une dame baissa la vitre de la portière et regarda à l'extérieur :

— Est-ce loin ?

— Sitôt passé le tournant, vous allez vous trouver devant le grand portail du parc. Le manoir se trouve au fond, sur la gauche.

— Le manoir ? répéta l'inconnue avec une note de consternation dans la voix. Ce n'est pas croyable...

Elle adressa quelques remarques à son compagnon de voyage et releva la vitre. La voiture s'éloigna en cahotant... Manifestement, le pavillon allait avoir de nouveaux locataires...

Ma mère brodait près de l'âtre ; quand elle m'adressa un signe de bienvenue, son mouvement gracieux alluma des reflets dans la lampe de cuivre, sur les lambris de bois poli et sur les panneaux en bois de rose du clavecin. La salle était telle que nous l'avions souhaitée, car nos goûts s'accordaient en tout point. Nos moyens d'existence étaient relativement modestes, car ma mère s'était montrée prodigue pendant des années, mais ils seraient suffisants pour entretenir une maison avec deux domestiques et Tim, qui s'exerçait à devenir valet en attendant l'âge de voler de ses propres ailes. La petite Betty était demeurée auprès du couple âgé qui habitait le cottage le plus éloigné.

Je déposai mes affaires sur le sofa et aperçus le réticule, au fond du panier. Je le sortis à contrecœur, triste relique fanée et poussiéreuse d'une époque révolue qui n'avait pas pour autant perdu le pouvoir d'entamer ma sérénité et de faire trembler mes mains tandis que j'en répandais le contenu sur la table : un mouchoir ourlé de dentelle, quelques miettes de macaron et une fiole vide qui avait contenu de la digitaline.

A la réflexion, je me souvins qu'il y avait eu deux fioles, l'une que j'avais jetée et celle-ci que j'avais moi-même décapsulée mais dont je n'avais pas eu l'occasion d'utiliser le contenu. Alors pourquoi était-elle vide ? Tout à coup je compris...

— Mère...

Elle sursauta en remarquant ma voix altérée.

— Pour quelle raison grand-mère vous haïssait-elle au point de vouloir vous tuer ?

Elle planta délibérément son aiguille dans la tapisserie et se raidit imperceptiblement, comme pour affronter une épreuve longuement attendue.

— Vous m'avez dit que grand-mère n'avait pas pu vous reconnaître. D'ailleurs, même si elle vous avait reconnue, elle n'aurait vu en vous que mon ancienne nourrice.

Je fixai ses mains crispées.

— Il y a autre chose, quelque chose que vous ne m'avez pas dit, repris-je.

— Tout ce que je vous ai dit est vrai, mais c'est exact : je ne vous ai pas tout dit.

— Au sujet de grand-mère ?

— Elle n'était pas votre grand-mère et elle le savait ! avoua-t-elle d'un ton cynique.

— Elle le savait ? répétai-je.

— Oui. Depuis le début.

Soudain, les souvenirs de toute mon enfance se déformèrent et prirent une teinte sinistre. Chaque mot prononcé devenait mensonge, chaque mouvement de tendre affection ne m'inspirait plus que répugnance.

— C'était un marché passé entre vous deux ?

— Non, dit-elle durement, pas du tout.. Mais nous nous comprenions tacitement...

Alors que le crépuscule s'étendait sur Betony, elle continua à parler, comme s'il n'y avait pas eu d'interruption dans sa première narration :

— Quand je lui ai présenté Kate, elle...

Elles s'étaient affrontées, chacune tenant dans ses bras une enfant, observant cette symétrie redoutable que j'avais remarquée bien plus tard lorsqu'elles s'observaient mutuellement, chacune détenant le même pouvoir de faire souffrir l'autre.

— Je lui ai dit : voici Alice, et je lui ai tendu une pitoyable créature brune, qui gémissait et haletait lamentablement. J'ai constaté le choc que je lui infligeais bien avant qu'elle détourne son regard avec dégoût. Alors elle a appuyé sa joue contre la vôtre. Vous étiez si belle ! « Je la veux, c'est celle-ci que je veux ! » répétait-elle... Mais il ne s'agissait pas d'un marché, Tessa. Elle a fini par se persuader que vous étiez véritablement sa petite fille. Je me suis demandé même si elle m'a reconnue, non pas en tant que nourrice mais à cause d'un vague air de famille entre vous et moi. Notre ressemblance n'est pas frappante, ma chérie, mais un air de famille ne dépend pas uniquement des traits et du teint ; il est discernable sans que l'on soit capable d'en expliquer la raison. Seulement, à ce moment-là, j'étais trop malheureuse pour m'en soucier. Elle n'aurait jamais dévoilé notre secret...

Ma mère poussa un long soupir, qui exprimait la satisfaction que l'on éprouve à se libérer d'un fardeau :

— Maintenant, vous savez tout.

J'avais l'impression de me tenir en équilibre au bord d'un gouffre béant et de la regarder de très loin. Comment pouvais-je encore la croire ?

Les mensonges et la ruse de grand-mère, que

j'avais crus le fait d'un amour abusif, n'avaient été provoqués que par une détermination destinée à me façonner selon ses vœux. A l'accumulation de biens illégitimes entassés au manoir, elle en avait délibérément ajouté un nouveau : un enfant. Il lui convenait de me maîtriser, de me modeler pour le but final : mon mariage avec un *vrai* Jasmyn. Il y avait longtemps que j'avais compris qu'elle cherchait à former mon caractère, mais le fait qu'elle avait tenté de me métamorphoser complètement équivalait à un acte de sorcellerie démoniaque qui confondait la raison.

Désormais, je n'éprouvais plus rien, sauf un sentiment de frustration, même pas une colère légitime. Au contraire, peu à peu, grandissait en moi une joie subtile : elle avait perdu ! Sans aucune pitié (la pitié devait venir plus tard, beaucoup plus tard), je comprenais que le sentiment de sa faute et la peur d'avoir été découverte avaient provoqué sa mort. Quant à moi, j'avais survécu. Elle m'avait causé sans nul doute un tort incalculable, mais j'avais résisté. Qui plus est : j'avais reconquis ce qui m'appartenait, ma véritable personnalité.

Ma mère venait de terminer ce qui avait dû être un très long discours, dont je n'avais d'ailleurs pas entendu un mot, juste la conclusion. Quand elle s'approcha et mit ses bras autour de mon cou, ce geste fut aussi significatif que sa facilité à évoluer d'une situation à une autre. Sa voix était pleine de tendresse :

— Tout cela n'a plus aucune importance, Tessa.

Elle ramassa le réticule, le mouchoir et la fiole.

— Je suis désolée de t'avoir bouleversée, ma chérie, mais il est mieux que tu saches la vérité. A présent que tu as des projets d'avenir, il vaut mieux oublier le passé.

Je me suis souvent demandé quel sentiment les vestales de l'antiquité, immolées en offrande à un dieu païen, éprouvaient à l'égard de leurs parents qui les sacrifiaient ainsi à leurs croyances ancestrales. Si l'une d'elles avait pu s'échapper, se serait-elle résignée à demeurer béatement au foyer familial, attendant passivement la mort prochaine en récompense de sa vénération ?

Je regagnai la tiédeur de la salle. Quelque chose de familier dans la disposition des meubles — le fauteuil de ma mère, complété par un tabouret, ma propre chaise, le tapis devant la cheminée, le feu ronronnant —, tous ces détails déclenchèrent en moi une sonnette d'alarme.

Des deux femmes qui avaient dominé ma vie, je ne doutais pas que l'une était aussi bonne et généreuse que l'autre avait été vile et perfide. Mais elles se ressemblaient au moins sur un point : leur habileté à m'étouffer sous une affection débordante. En cela, elles étaient identiques.

Ce fut cette conclusion qui dicta mes gestes durant les quelques minutes qui suivirent et me poussèrent à accomplir l'acte le plus brave de mon existence. Je disposais de quelques minutes pour trouver une plume et du papier afin de laisser un message. Un message

qui lui causerait beaucoup de peine, mais elle domine-
rait cette peine-là comme elle avait triomphé des
autres. J'écrivis donc :

Très chère mère,

*Comme vous, je reviendrai un jour à Betony. Mais
pas avant un certain temps. Avec tout mon amour.*

Tessa

Puis, exactement comme elle l'avait fait jadis, je
soulevai le loquet et m'engageai sur le chemin de la
liberté.

La route jusqu'à Londres serait fastidieuse tant
j'avais hâte de retrouver celui qui me protégerait des
vicissitudes de l'existence et de la méchanceté
humaine. Contrairement à Susannah, je n'étais pas
seule pour les affronter et les vaincre ; je ne possédais
pas son énergie indomptable mais une force bien plus
puissante m'animait... Mon cœur battait plus vite et je
me mis à courir sur la route, vers mon tendre amour...

FIN

Achevé d'imprimer
le 16 avril 1981
sur les presses
de l'imprimerie Cino del Duca,
18, rue de Folin, à Biarritz.
N° 87.

Dépôt légal n° 417.   2e trimestre 1981.